中華國學經典百部

精華本

童蒙须知 小学
朱子治家格言

〔南宋〕朱熹 〔清〕朱柏庐 著
焦亮 注

中国书店

图书在版编目（CIP）数据

童蒙须知·小学·朱子治家格言 /（南宋）朱熹，（清）朱柏庐著；焦亮注．—北京：中国书店，2023.10
（中华国学经典百部：精华本）
ISBN 978-7-5149-2963-8

Ⅰ．①童… Ⅱ．①朱… ②朱… ③焦… Ⅲ．①古汉语—启蒙读物②家庭道德—中国—清前期 Ⅳ．① H194.1 ② B823.1

中国版本图书馆 CIP 数据核字（2022）第 075989 号

童蒙须知 小学 朱子治家格言
〔南宋〕朱熹 〔清〕朱柏庐 著 焦亮 注
责任编辑：李宏书

出版发行：中国书店
地　　址：北京市西城区琉璃厂东街 115 号
邮　　编：100050
电　　话：（010）63171753（总编室）
　　　　　（010）63017857（发行部）
印　　刷：三河市嘉科万达彩色印刷有限公司
开　　本：787mm × 1092mm　1/32
版　　次：2023 年 10 月第 1 版第 1 次印刷
字　　数：116 千
印　　张：6（全 300）
书　　号：ISBN 978-7-5149-2963-8
定　　价：1490.00 元（全 50 册）

前言

启蒙之意，即是开导蒙昧，使之明白事理。启蒙教育始终是传统文化的一项重要内容，自春秋时起，关于启蒙教育的著作便不断涌现，春秋之《管子》《论语》、唐之《蒙求》、宋之《童蒙训》、元之《左氏蒙求》、清之《文字蒙求》等等，皆是对稚童的言行进行规范以使其明事理、懂礼仪的启蒙教育读物，由此，一门受到社会各界普遍关注的蒙学教育形成、发展。

提及蒙学教育，尤其不能绕开朱子。朱子，即朱熹，字元晦，号晦庵，南宋时著名的理学家、思想家、教育家，是儒学集大成者。他尤其注重对儿童进行启蒙教育，以助其知晓做人的基本道理和社会生活知识，培养稚童行事的浩然正气。

本书经过仔细甄选，选出最能代表朱子蒙学主张的两本书，即《童蒙须知》和《小学》，以及清初朱伯庐所著的《朱子治家格言》。此三者是在蒙学教育中具有深远影响的三部作品，皆以“养正”为主旨，由此而说开去，伸向生活的各个方面，使稚童受到正身、慎言、明理的熏陶。

《童蒙须知》是一部细致入微、寓意深刻的书。它剖开生活实践的内里，为稚童传授生活之礼节。此书分为五个部分，即“衣服冠履”“言语步趋”“洒扫涓洁”“读书写文字”“杂细事宜”，内容之全面，内涵之丰富，历史底蕴之深厚，令人赞叹。书中所言并不因时代久远而无实用性，它贴近稚童生活，境界宏阔、学养深厚却不乏实际之处，是教授稚童养成良好习惯，自幼年起便知书达理的书。

《小学》是朱熹在《童蒙须知》之外，又一部精华之作，亦是影响最为久远、价值最受世人认可之作。在朱熹看来，人之教育有“小学”和“大学”之分。“小学”即8—15岁应受的教育。在这一阶段，稚童还不具备完善的思维能力，智力亦尚未开启，因而以生活实践与涵养德行为主。《小学》分为《内篇》和《外篇》，《内篇》分别为“立教”“明伦”“敬身”“稽古”四篇，《外篇》则有“嘉言”“善行”两篇。《四库全书总目》有言：“是书所录，皆宋儒所谓养正之功，教之本也。”又有言：

“儒者为学之基，实备于此。”明太祖朱元璋曾令亲王、驸马、太学生皆读此书，由此可见此书价值非同一般。本次编辑，节选原书精彩部分，以供参考。

《朱子治家格言》，又名《朱子家训》，是清初朱柏庐所著。朱柏庐为著名理学家、教育家，昆山（今属江苏）人，与归有光、顾炎武并称为“昆山三贤”，又与徐枋、扬无咎并称“吴中三高士”。他潜心读书治学，以程朱理学为本，教授学生知行并进、躬身实践，由此而作成此书，以传授知书达理的行为规范。

本书合《童蒙须知》《小学》《朱子治家格言》为一书，对这三种启蒙教育读物中的生僻字进行注音与释义，对古今意义区别较大的词汇进行必要的注释，以传播传统文化精髓。本书中侍奉父母、尊敬师长、修身养性、潜心学习、勤奋进取之内涵，在当今时代更具借鉴意义。

目录

童蒙须知

小学

内篇

外篇

朱子治家格言

童蒙须知

〔南宋〕朱熹　著

原叙[1]

【原文】

夫童蒙[2]之学，始于衣服冠履，次及言语步趋，次及洒扫涓洁[3]，次及读书写文字，及有杂细事宜，皆所当知。今逐目条列，名曰《童蒙须知》。若其修身治心、事亲接物与夫穷理尽性[4]之要，自有圣贤典训[5]，昭然[6]可考，当次第晓达，兹不复详著云。

【注释】

①叙：同“序”，即序言。

②童蒙：幼稚无知的人。

③涓洁：清洁，洁净。

④穷理尽性：穷究天地万物的规律和本质。

⑤典训：《尚书》中《尧典》《伊训》等篇的并称。此处指典籍。

⑥昭然：明白清楚的样子。

衣服冠履第一

【原文】

大抵为人，先要身体端整。自冠巾、衣服、鞋袜皆须收拾爱护，常令洁净整齐。我先人常训[①]子弟云："男子有三紧。谓头紧、腰紧、脚紧。"头谓头巾，未冠者总髻[②]。腰谓以绦[③]或带束腰。脚谓鞋袜。此三者要紧束，不可宽慢[④]。宽慢则身体放肆[⑤]，不端严，为人所轻贱矣。

【注释】

①训：教导。

②总髻：总角。古时男童束发为两结，向上分开，形如角。

③绦（tāo）：丝带，丝绳。

④宽慢：即蓬松散乱。

⑤放肆：没有约束，放纵而为。

【原文】

凡着衣服，必先提整衿[①]领，结两衽[②]纽带，不可令有阙[3]落。饮食照管，勿令污坏；行路看顾，勿令泥渍[4]。

【注释】

①衿（jīn）：古代服装下连到前襟的衣领。

②衽（rèn）：衣襟。

③阙：缺少。

④渍（zì）：沾在物体表面难以去除的泥、油等污垢。

【原文】

凡脱衣服，必齐整折叠箱箧[1]中。勿散乱顿放[2]，则不为尘埃杂秽所污。仍易于寻取，不致散失。着衣既久，则不免垢腻。须要勤勤洗浣[3]。破绽则补缀[4]之，尽补缀无害，只要完洁。

【注释】

①箧（qiè）：箱子一类的东西。

②顿放：安顿，放置。

③浣（huàn）：洗。

④缀（zhuì）：缝，补。

【原文】

凡盥[1]面，必以巾帨[2]遮护衣领，卷束两袖，勿令有所湿。凡就劳役，必去上笼衣服，只着短便，爱护勿使损污。凡日中[3]所着衣服，夜卧必更，则不藏蚤虱，不即敝[4]坏。苟能如此，则不但威仪可法，又可不费衣服。晏子一狐裘[5]三十年，虽意在以俭化俗，亦其爱惜有道也，此最饬[6]身之要，毋忽！

【注释】

①盥（guàn）：洗。

②帨（shuì）：佩巾，手巾。

③日中：白天。

④敝：破旧。

⑤狐裘：用狐皮制成的大衣。

⑥饬（chì）：整治。

言语步趋第二

【原文】

凡为人子弟，须是常低声下气，语言详缓，不可高言喧哄、浮言[①]戏笑。父兄长上有所教督[②]，但当低首听受，不可妄自议论。长上检责[③]，或有过误，不可便自分解，姑且隐默[④]。久却徐徐细意条陈[⑤]，云此事恐是如此，向者当是偶尔遗忘。或曰：当是偶尔思省未至。若尔，则无伤忤[⑥]，事理自明。至于朋友分上，亦当如此。

【注释】

①浮言：毫无根据的话。

②教督：教导督促。

③检责：检查，批评。

④隐默：沉默不语。

⑤条陈：分条陈述。

⑥忤（wǔ）：违逆，冒犯。

【原文】

凡闻人所为不善，下至婢仆违过，宜且包藏[1]，不应便尔[2]声言。当相告语，使其知改。

【注释】

①包藏：宽容，包涵。

②便尔：草率地。

【原文】

凡行步趋跄[1]，须是端正，不可疾走跳踯[2]。若父母长上有所唤召，却当疾走而前，不可舒缓。

【注释】

①跄（qiàng）：疾走，快走。

②跳踯（zhí）:上下跳跃。

洒扫涓洁第三

【原文】

凡为人子弟，当洒扫居处之地，拂拭几[①]案，当令洁净。文字[②]笔砚、凡百[③]器用[④]，皆当严肃[⑤]整齐，顿放有常处。取用既毕，复置元所[⑥]。

【注释】

①几（jī）：古人坐时用来倚靠或放置东西的小桌子。

②文字：此处指案卷，纸张。

③凡百：一切，一应。

④器用：器皿用具。

⑤严肃：此处指摆放严谨且有规矩。

⑥元所：原来、最初的地方。

【原文】

父兄长上坐起处，文字纸札[①]之属，或有散乱，当加意[②]整齐，不可辄[③]自取用。凡借人文字，皆置簿[④]钞录主名，及时取还。

【注释】

①纸札（zhá）：纸张。

②加意：注重，特别注意。

③辄（zhé）：立即，即刻。

④簿（bù）：记事本。

【原文】

窗壁、几案、文字间，不可书字。前辈云："坏笔污墨，瘝[1]子弟职。书几书砚，自黥[2]其面。"此为最不雅洁，切宜深戒！

【注释】

①瘝（guān）：旷废。

②黥（qíng）：古代的一种肉刑，即在脸上刺字后涂墨。

读书写文字第四

【原文】

凡读书，须整顿几案，令洁净端正。将书册整齐顿放，正身体对书册，详缓看字，子细①分明。

【注释】

①子细：仔细。

【原文】

读之，须要读得字字响亮，不可误一字，不可少一字，不可多一字，不可倒一字。不可牵强①暗记，只是要多诵遍数②，自然上口③，久远不忘。古人云："读书千遍，其义自见④。"谓熟读则不待解说，自晓其义也。

【注释】

①牵强：勉强。

②遍数（shǔ）：一遍一遍地数。

③上口：因诵读诗文等纯熟，能脱口而出。

④见（xiàn）：显现，体现。

【原文】

余尝谓读书有三到[1]：谓心到、眼到、口到。心不在此，则眼不看子细，心眼既不专一，却只漫浪[2]诵读，决不能记，记亦不能久也。三到之中，心到最急[3]。心既到矣，眼口岂不到乎？

【注释】

①到：到位。

②漫浪：放纵而不受拘束，此处指随意。

③急：紧要，重要。

【原文】

凡书册，须要爱护，不可损污绉折[1]。济阳江禄[2]，书读未完，虽有急速[3]，必待掩束[4]整齐然后起，此最为可法。

【注释】

①绉（zhòu）折：折叠且留下痕迹。

②江禄：南朝梁济阳考城人，字彦遐，自幼好学，善做文章，工于书法、弹琴。

③急速：指仓促之间发生的紧急之事。

④掩束：掩盖，捆束。

【原文】

凡写文字，须高执墨锭[①]，端正研磨，勿使墨汁污手。高执笔，双钩[②]端楷书字，不得令手指着[③]毫[④]。凡写字，未问写得工拙如何，且要一笔一画，严正分明，不可潦草。凡写文字，须要子细看本，不可差讹[⑤]。

【注释】

①墨锭（dìng）：墨块。

②双钩：古时一种执笔的指法名称，与“单钩”相对。

③着（zhuó）：碰到。

④毫：笔头，笔尖。

⑤差讹（é）：错误，差错。

杂细事宜第五

【原文】

凡子弟，须要早起晏眠①。凡喧哄斗争之处不可近，无益之事不可为。谓如赌博、笼养②、打球③、踢球④、放风禽⑤等事。

【注释】

①晏（yàn）眠：睡眠，安眠。晏，安定，安乐。

②笼养：用笼子养鸟。

③打球：古时的一种体育运动，与今时的马球运动相类似。

④踢球：古时的一种体育运动，与今时的足球运动相类似。

⑤风禽：风筝。

【原文】

凡饮食，有则食之，无则不可思索，但粥饭充饥不可阙。凡向火①，勿迫近火旁。不惟举止不佳，且防焚爇②衣服。

【注释】

①向火：烤火。

②焚爇（fén ruò）：烧毁。

【原文】

凡相揖①，必折腰②。凡对父母长上朋友，必称名③。凡称呼长上，不可以字④，必云某丈⑤。如弟行⑥者，则云某姓某丈。按《释名》⑦弟训第，谓相次第也。某丈者，如云张丈、李丈。某姓某丈者，如云张三丈、李四丈。旧注云。

【注释】

①揖（yī）：古代的拱手礼。

②折腰：弯腰行礼。

③称名：自称时不能称“我”，而称自己的名。

④字：人的表字，古人成年之后，另取一个与本名含义相关的别名，以表其德。

⑤丈：对长辈的尊称。

⑥弟行：兄弟之间的排行。

⑦《释名》：汉末刘熙所著，用于探求事物得名的来由，共八卷。

【原文】

凡出外及归，必于长上前作揖，虽暂出亦然。凡饮食于长上之前，必轻嚼缓咽，不可闻饮食之声。凡饮食之物，勿争较多少美恶。凡侍[1]长者之侧，必正立拱手。有所问，则必诚实对，言不可妄[2]。

【注释】

①侍：侍从，陪从。

②妄：虚妄，虚假。

【原文】

凡开门揭帘，须徐徐轻手，不可令震惊[1]声响。凡众坐，必敛[2]身，勿广占坐席。凡侍长上出行，必居路之右，住必居左。

【注释】

①震惊：使人惊惧，震动。

②敛（liǎn）：约束，收敛。

【原文】

凡饮酒，不可令至醉。凡如厕[1]，必去[2]外衣，下必盥手。凡夜行，必以灯烛，无烛则止。凡待婢仆，必端严，勿得与之嬉笑。执器皿必端严，惟恐有失。凡危险，不可近。凡道路遇长者，必正立拱手，疾趋[3]而揖。凡夜卧，必用枕，勿以寝衣[4]覆首。凡饮食，举匙[5]必置箸，举箸[6]必置匙。食已，则置匙箸于案。

【注释】

①如厕：去厕所。

②去：脱下。

③疾趋：快而轻地小步走。

④寝衣：小被，即夹被。

⑤匙（chí）：舀汤用的小勺。

⑥箸（zhù）：筷子。

【原文】

杂细[①]事宜，品目[②]甚多，姑举其略，然大概具矣。凡此五篇，若能遵守不违，自不失为谨愿[③]之士。必又能读圣贤之书，恢[④]大此心，进德修业[⑤]，入于大贤君子之域[⑥]，无不可者。汝曹[⑦]宜勉之。

【注释】

①杂细：复杂详细。

②品目：事物的名目。

③谨愿：诚实，质朴。

④恢：宏大，弘扬。

⑤进德修业：增进品德，修养学问。

⑥域：境界。

⑦汝曹：你们。

小学

〔南宋〕朱熹　著

内 篇

立教第一

【题解】

“立”，建立、设立之意；“教”，指教育，亦指教育方法。由此而言，“立教”则是建立一种行之有效、给人以启蒙的教育方法。这一部分引述古代圣贤的教育主张，以此印证朱熹自己的教育方法，其用意是教育稚童明人伦，持守自身。

【原文】

子思子[①]曰：“天命之谓性，率性之谓道，修道之谓教。”则[②]天明，遵圣法[③]，述此篇俾[④]为师者知所以教，而弟子知所以学。

【注释】

①子思子：即孔伋，字子思，孔子之孙，孔鲤之子。后一“子”字是古代对人的尊称。

②则：效法，遵循。

③圣法：圣人之法度，教导。

④俾（bǐ）：使。

【原文】

《列女[1]传》曰：古者妇人妊[2]子，寝[3]不侧，坐不边[4]，立不跸[5]。不食邪味[6]，割[7]不正不食，席不正不坐，目不视邪色[8]，耳不听淫声[9]。夜则令瞽[10]诵诗，道正事。如此，则生子形容端正，才过人矣。

【注释】

①列女：诸女，众妇。

②妊（rèn）：怀孕。

③寝：卧，睡。

④坐不边：古人席地而坐，不偏着身子坐。边，身子偏向一边。

⑤跸（bì）：站立不正，身子的重量偏于一只脚。

⑥邪味：不正之味。

⑦割：切。

⑧邪色：不正之色。

⑨淫声：不正之声。

⑩瞽（gǔ）：瞎，盲。此处指通晓音乐、诗歌的盲人。

【原文】

《内则》[1]曰：凡生子，择于诸母[2]与可者，必求其宽裕慈惠、温良恭敬、慎而寡言者，使为子师。子能食食[3]，教以右手；能言，男“唯”[4]女“俞”[5]；

男鞶革；女鞶丝。六年，教之数与方名。七年，男女不同席，不共食。八年，出入门户及即席饮食，必后长者，始教之让。九年，教之数日。十年，出就外傅[6]，居宿于外，学书计；衣不帛襦袴[7]；礼帅初，朝夕学幼仪，请肄[8]简谅。十有三年，学乐，诵诗，舞《勺》[9]；成童，舞《象》[10]，学射御。二十而冠[11]，始学礼；可以衣裘[12]帛；舞《大夏》；惇行孝弟[13]，博学不教，内[14]而不出。三十而有室，始理男事；博学无方，孙[15]友视志。四十始仕，方物出谋发虑；道合则服从，不可则去。五十命为大夫，服官政。七十致事。女子十年不出；姆[16]教婉娩[17]听从；执麻枲[18]，治丝茧，织纴组紃[19]，学女事，以共衣服；观于祭祀，纳酒浆、笾豆[20]、菹醢[21]，礼相助奠。十有五年而笄，二十而嫁；有故，二十三而嫁。聘则为妻，奔则为妾。

【注释】

①《内则》：《礼记》中的篇名，即讲述家庭内需要遵守的法则。

②诸母：古时允许一夫多妻，此处指夫之所有妻妾。

③食（shí）食（sì）：吃饭。

④男“唯”：男子快速答应。

⑤女“俞”：女子缓缓答应。

⑥外傅：家庭之外的老师。

⑦襦袴（rú kù）：上衣和裤子。

⑧肄（yì）：学习，练习。

⑨《勺》：即《诗经·周颂·酌》，歌颂周武王的诗歌。

⑩《象》：即《诗经·周颂·武》，赞美周武王的诗歌。

⑪冠（guàn）：戴帽。古代男子二十岁行成人礼，结发戴冠。

⑫裘（qiú）：皮衣。

⑬孝弟（tì）：孝敬父母，敬爱兄长。弟，通“悌”。

⑭内（nà）：通“纳”，接受，容纳。

⑮孙（xùn）：同“逊”，顺，退让。

⑯姆（mǔ）：以妇道之德教授女子的女教师。

⑰婉娩（wǎn）：柔顺的样子。

⑱枲（xǐ）：结籽的大麻。

⑲织纴（rèn）组紃（xún）：指妇女的纺织。纴，织布帛的丝缕。紃，即绦，细带。

⑳笾（biān）豆：古代祭祀时盛放祭品的礼器。笾由竹制成，豆由木制成。

㉑菹醢（zū hǎi）：腌菜和肉酱。

【原文】

《曲礼》[①]曰：幼子常视[②]毋[③]诳[④]，立必正方[⑤]，不倾听。

【注释】

①《曲礼》：《礼记》中的篇名。

②视：即“示”，教育，示范。

③毋（wú）：不，不要。

④诳（kuáng）：欺骗。

⑤正方：正面对着一个方向。

【原文】

《学记》①曰：古之教者，家有塾②，党③有庠④，术⑤有序⑥，国⑦有学⑧。

【注释】

①《学记》：《礼记》中的篇名。

②塾（shú）：家学，私人设立的学校。

③党：古代行政单位，五百家为一党。

④庠（xiáng）：即一党之中设立的学校。

⑤术：指“州”，两千五百家为一州。

⑥序：一州之内设立的学校。

⑦国：天子的国都和诸侯国的都城。

⑧学：即天子国都和诸侯国都城设立的学校。

【原文】

孟子①曰：人之有道也，饱食暖衣，逸②居而无教，则近于禽兽。圣人有忧之，使契③为司徒，教以人伦④。父子有亲，君臣有义，夫妇有别，长幼有序，朋友有信。

【注释】

①孟子：名轲，字子舆，战国时邹国人，伟大的思想家、教育家，儒家学派的代表人物。与孔子并称“孔孟”。

②逸：安闲，无所用心。

③契（xiè）：传说中帝喾之子，被尧任命为司徒，主管教化。

④伦：次序。

【原文】

舜[1]命契曰：“百姓不亲，五品[2]不逊[3]。汝作司徒[4]，敬敷[5]五教[6]，在宽。”命夔[7]曰：“命汝典[8]乐，教胄子[9]。直而温，宽而栗[10]，刚而无虐[11]，简而无傲。诗言志，歌永[12]言，声[13]依永，律[14]和声。八音[15]克[16]谐，无相夺伦，神人以和。”

【注释】

①舜：传说中的古代圣帝。

②五品：五种人伦关系，即父子、君臣、夫妇、长幼、朋友。

③逊：恭顺，谦逊。

④司徒：主管教化的官员，为六卿之一。

⑤敷（fū）：布置，实施。

⑥五教：五种教育，即父子教之以亲、君臣教之以义、

夫妇教之以别、长幼教之以序、朋友教之以信。

⑦夔（kuí）：舜时乐官。

⑧典：掌管，主管。

⑨胄（zhòu）子：古时帝王与卿大夫的长子。

⑩栗（lì）：严肃，威严。

⑪虐（nüè）：侵害，残暴。

⑫永：通“咏”，吟咏，咏唱。

⑬声：五声，即宫、商、角、徵、羽。

⑭律：十二律，即乐律的统称。

⑮八音：金、石、丝、竹、匏、土、革、木。

⑯克：能。

【原文】

《周礼·大司徒[①]》：以乡三物[②]教万民而宾[③]兴[④]之：一曰六德，知[⑤]、仁、圣、义、忠、和；二曰六行，孝、友[⑥]、睦[⑦]、姻[⑧]、任[⑨]、恤[⑩]；三曰六艺，礼、乐、射、御、书、数。以乡八刑纠万民：一曰不孝之刑，二曰不睦之刑，三曰不姻之刑，四曰不弟之刑，五曰不任之刑，六曰不恤之刑，七曰造言[⑪]之刑，八曰乱民之刑。

【注释】

①大司徒：主管国家教化的最高长官。

②三物：三件事。即下文所言“六德”“六行”“六艺”。

③宾：乡中具备德、行、艺三种才能的人被尊为宾。

④兴：推举，举荐。

⑤知：通“智”，辨识事理。

⑥友：兄弟友善。

⑦睦：九族亲善。

⑧姻：对姻亲友善。

⑨任：对朋友讲信用。

⑩恤（xù）：怜惜救济贫困之人。

⑪造言：造谣。

【原文】

《弟子职》曰：先生施教，弟子①是则。温恭②自虚，所受是极③。见善从之，闻义则服④。温柔孝弟，毋骄恃⑤力。志毋虚邪，行必正直。游居⑥有常，必就有德。颜色整齐，中心必式⑦。夙兴夜寐⑧，衣带必饬⑨。朝益⑩暮习，小心翼翼⑪。一此不懈⑫，是谓学则。

【注释】

①弟子：学生。

②温恭：谦逊恭敬。

③所受是极：接受教育、学习知识时要穷究正确的道理、准则。极，穷尽。

④服：行动。

⑤恃：依仗，凭借。

⑥游居：行止起居。

⑦式：规矩，榜样。

⑧夙（sù）兴夜寐（mèi）：早起晚睡。

⑨饬（chì）：整顿，整齐。

⑩益：增。

⑪小心翼翼：谨慎恭敬。

⑫懈（xiè）：懈怠，松散。

【原文】

孔子[①]曰：弟子入则孝，出则弟，谨而信，泛[②]爱众，而亲仁。行有余力[③]，则以学文。

【注释】

①孔子：孔氏，名丘，字仲尼，春秋时鲁国人，儒家学派创始人。

②泛：广泛。

③余力：闲暇时间。

【原文】

兴[①]于诗，立[②]于礼，成[③]于乐。

【注释】

①兴：兴起。

②立：立身处世。

③成：修成，养成。

【原文】

《乐记》曰：礼乐不可斯须[1]去身。

【注释】

①斯须：短暂，片刻。

【原文】

子夏[1]曰：贤贤[2]易色[3]；事父母，能竭其力；事君，能致[4]其身；与朋友交，言而有信。虽曰未学，吾必谓之学矣。

【注释】

①子夏：姓卜，名商，孔子弟子，春秋时卫国人。

②贤贤：以贤为贤，注重他人之美德。

③色：喜好美色。

④致：委，献身。

明伦第二

【题解】

所谓“明伦”，即是“明人伦”，认识并能合理处理人与人之间的关系。这些关系包括君臣、父子、长幼、朋友之间的关系。“明伦”是《小学》全书的精髓所在，朱熹着如此多的笔墨写这一部分，有两个用意：第一，让稚童通过学习明白人伦之理；第二，将学到的人伦之理运用到生活中去。

【原文】

孟子曰：“设为庠序学校以教之，皆所以明人伦也。”稽①圣经，订②贤传，述此篇以训③蒙士④。

【注释】

①稽（jī）：考察。

②订：评议。

③训：教育。

④蒙士：浅学无知之人，此处指开始学习的儿童。

父子之亲

【原文】

凡内外[1]，鸡初鸣，咸盥漱，衣服[2]，敛枕簟[3]，洒扫室堂及庭，布席[4]，各从其事。

【注释】

①内外：指全家上下、尊卑、长幼。

②衣（yì）服：穿好衣服。

③簟（diàn）：竹席。

④布席：铺设坐席。

【原文】

父母、舅姑[1]将坐，奉席[2]，请何乡[3]？将衽[4]，长者奉席，请何趾[5]？少者执床[6]与坐，御者[7]举几[8]，敛席与簟，县衾[9]，箧枕[10]，敛簟而襡[11]之。父母、舅姑之衣衾簟席枕几，不传[12]；杖屦[13]，祗[14]敬之，勿敢近；敦牟[15]卮[16]匜[17]，非馂[18]莫敢用；与恒[19]饮食，非馂，莫之敢饮食。

【注释】

①舅姑：公公、婆婆。

②奉席：捧座席。

③请何乡（xiàng）：请问朝向什么方向坐。乡，通“向”。

④衽（rèn）：卧席。此处指睡觉。

⑤请何趾（zhǐ）：请问脚向哪一方。趾，脚。

⑥床：坐榻一类的东西。

⑦御者：仆人。

⑧几（jī）：小桌子。

⑨县衾（xuán qīn）：将被子挂起来。县，通“悬”，悬挂。衾，被子。

⑩箧（qiè）枕：将枕头装进箱子。箧，箱子。

⑪韣（dú）：收藏。

⑫传：移动。

⑬屦（jù）：鞋子。

⑭祇（zhī）：敬，敬重。

⑮敦牟（duì móu）：两种装食物的器具。

⑯卮（zhī）：酒器。

⑰匜（yí）：盛水的用具。

⑱馂（jùn）：吃剩下的食物。

⑲恒：平常，平时。

【原文】

《曲礼》曰：凡为人子之礼，冬温[①]而夏清[②]，昏定[③]而晨省[④]。出必告，反[⑤]必面。所游必有常[⑥]，所习必有业[⑦]。恒[⑧]言不称老。

【注释】

①温：暖和。

②凊（qìng）：凉爽，清凉。

③定：安置父母或尊长的床褥。

④省（xǐng）：问候，问安。

⑤反：同“返”，回来。

⑥常：固定的地方。

⑦业：学业。

⑧恒：平常。

【原文】

《礼记》曰：孝子之有深爱者，必有和气；有和气者，必有愉色；有愉色者，必有婉容①。孝子如执玉，如奉盈②，洞洞③属属④然，如弗胜⑤，如将失之。严威俨恪⑥，非所以事亲也。

【注释】

①婉（wǎn）容：和顺的容色。

②奉（pěng）盈：双手捧着满满的水。奉，通“捧”。

③洞洞：虔诚质朴的样子。

④属属：忠心专一的样子。

⑤胜（shēng）：承担，承受。

⑥俨恪（yǎn kè）：庄重严肃。

【原文】

《曲礼》曰：凡为人子者，居不主奥①，坐不中席②，行不中道，立不中门。食飨③不为槩④，祭祀不为尸⑤。听于无声，视于无形。不登高，不临深。不苟⑥呰⑦，不苟笑。

【注释】

①主奥：坐于尊位。

②中席：坐席的中间位置。

③食飨（sì xiǎng）：大宴宾客。

④槩（gài）：通“概”，限量。

⑤尸：古代祭祀时，祭祀之人代替受祭之人。

⑥苟（gǒu）：随便，苟且。

⑦呰（zī）：诋毁。

【原文】

孔子曰：父母在，不远游①；游必有方②。

【注释】

①游：游历。

②方：方位，住所。

【原文】

《曲礼》曰：父母存①，不许②友以死。

【注释】

①存：在世，活着。

②许：许诺，答应。

【原文】

《礼记》曰：父母在，不敢有其身，不敢私[1]其财，示民有上下也。父母在，馈献[2]不及车马[3]，示民不敢专[4]也。

【注释】

①私：私自占有。

②馈（kuì）献：赠送。

③车马：车与马，此处引申为重要的财物。

④专：独断独行，自作主张。

【原文】

《曲礼》曰：父召，无诺[1]；先生召，无诺。唯[2]而起。

【注释】

①诺：缓缓应答。

②唯：快速应答。

【原文】

《士相见礼》曰：凡与大人[1]言，始视面，中视抱[②]，卒[③]视面，毋改。众皆若是。若父，则游[④]目，毋上于面，毋下于带[⑤]。若不言，立则视足，坐则视膝。

【注释】

①大人：对显贵之人和长辈的尊称。

②抱：胸。

③卒：最终，最后。

④游：游动，移动。

⑤带：腰带。

【原文】

《礼记》曰：父命呼，唯而不诺；手执业[①]，则投之；食在口，则吐之；走[②]而不趋。亲老，出不易方，复[③]不过时。亲瘠[④]，色容不盛。此孝子之疏节[⑤]也。父没[⑥]，而不能读父之书，手泽[⑦]存焉尔；母没，而杯圈[⑧]不能饮焉，口泽之气存焉尔。

【注释】

①业：事务，业务。

②走：快步走，跑。

③复：返，回家。

④瘠（jí）：通“瘠”，病，疾病。

⑤疏节：疏略的礼节。

⑥没（mò）：去世。

⑦手泽：手迹，手汗。

⑧杯圈：饮食器物。

【原文】

曾子[①]曰：孝子之养老[②]也，乐其心，不违其志；乐其耳目，安其寝处[③]，以其饮食忠[④]养之。是故父母之所爱，亦爱之，父母之所敬，亦敬之。至于[⑤]犬马尽[⑥]然，而况于人乎？

【注释】

①曾子：曾参，字子舆，春秋时鲁国人，孔子弟子。

②老：此处指父母。

③寝处（qǐn chǔ）：坐与卧，指日常生活。

④忠：尽心。

⑤至于：甚至，连。

⑥尽：完全。

【原文】

曾子曰：父母爱之，喜而弗忘；父母恶[①]之，惧而无怨；父母有过，谏[②]而不逆[③]。

【注释】

①恶（wù）：憎恨，讨厌。

②谏（jiàn）：以言语规劝。

③逆：违逆，不顺。

【原文】

《内则》曰：父母有过，下气[①]怡[②]色，柔声以谏。谏[③]若不入，起[④]敬起孝。说，则复谏；不说[⑤]，与其得罪于乡党州闾[⑥]，宁孰[⑦]谏。父母怒，不说而挞[⑧]之流血，不敢疾[⑨]怨，起敬起孝。

【注释】

①下气：和气。

②怡：和悦，喜乐。

③谏（jiàn）：规劝。

④起：兴起。

⑤说：通“悦”，高兴。

⑥乡党州闾（lǘ）：古时一万二千五百家为乡，五百家为党，二千五百家为州，二十五家为闾。

⑦孰：同“熟”，反复，恳切。

⑧挞（tà）：用鞭棍等打。

⑨疾：怨，恨。

【原文】

父母有疾，冠者不栉[①]，行不翔[②]，言不惰[③]，琴瑟不御[④]，食肉不至变味[⑤]，饮酒不至变貌[⑥]，笑不至矧[⑦]，怒不至詈[⑧]。疾止复故[⑨]。

【注释】

①栉（zhì）：梳理头发。

②翔：行走时两臂张开。

③惰：语言戏笑轻慢。

④御：用。

⑤变味：肉食多，味道则改变，此处引申为少吃肉。

⑥变貌：酒饮多，外貌则改变，此处引申为少喝酒。

⑦矧（shěn）：齿龈，牙齿的根部。

⑧詈（lì）：怒骂，责备。

⑨故：往常，原来。

【原文】

《内则》曰：父母虽没，将为善，思贻[1]父母令[2]名，必果；将为不善，思贻父母羞辱，必不果[3]。

【注释】

①贻（yí）：留下，遗留。

②令：美，好。

③果：果断，引申为坚决做某事，使之成为事实。

【原文】

《祭义》曰：霜露既降，君子履[1]之，必有凄怆[2]之心，非其寒之谓也。春，雨露既濡[3]，君子履之，必有怵惕[4]之心，如将见之。

【注释】

①履（lǚ）：踏踩。

②凄怆：悲伤。

③濡（rú）：湿润，润泽。

④怵惕（chù tì）：警惕，惊惧。

【原文】

君子之祭也，必身亲莅[①]之。有故，则使人[②]可也。

【注释】

①莅（lì）：到，临。

②使人：派人代替。

【原文】

《曲礼》曰：君子虽贫，不粥[①]祭器；虽寒，不衣[②]祭服；为宫室，不斩于丘[③]木。

【注释】

①粥（yù）：通“鬻”，卖，出卖。

②衣（yì）：穿。

③丘：坟墓，墓地。

【原文】

孔子曰：父母生之，续[①]莫大焉。君亲临[②]之，厚莫重焉。是故，不爱其亲而爱他人者，谓之悖德；不敬其亲而敬他人者，谓之悖[3]礼。

【注释】

①续：传接，承续。

②临：治理，统治。

③悖（bèi）：违反，违背。

【原文】

孝子之事亲[1]，居则致其敬，养则致[2]其乐，病则致其忧，丧则致其哀，祭则致其严。五者备矣，然后能事亲。事亲者，居上[3]不骄，为下[4]不乱，在丑[5]不争。居上而骄则亡，为下而乱则刑，在丑而争则兵。此三者不除，虽日用三牲[6]之养，犹为不孝也。

【注释】

①事亲：侍奉父母。

②致：极，尽。

③居上：处于高位。

④为下：处于下位。

⑤丑：同类，众类。

⑥三牲：牛、羊、猪，此为最高等级的供养。

【原文】

孟子曰：世俗所谓不孝者五：惰其四支[1]，不顾父母之养，一不孝也；博奕[2]好饮酒，不顾父母之养，二不孝也；好货财，私[3]妻子[4]，不顾父母之养，三不孝也；从[5]耳目之欲[6]，以为父母戮[7]，四不孝也；好勇斗狠[8]，以危父母，五不孝也。

【注释】

①支：通“肢”。

②博奕（yì）：赌博和下棋。

③私：偏爱，偏私。

④妻子：妻子儿女。

⑤从（zòng）：通“纵”，放纵，放任。

⑥耳目之欲：声色欲望。

⑦戮（lù）：侮辱，羞耻。

⑧狠：愤戾，狠毒。

【原文】

曾子曰：身也者，父母之遗体[1]也。行父母之遗体，敢不敬乎？居处不庄，非孝也；事君不忠，非孝也；莅官[2]不敬，非孝也；朋友不信，非孝也；战陈[3]无勇，非孝也。五者不遂[4]，裁[5]及其亲，敢不敬乎？

【注释】

①遗体：父亲身体的延续。

②莅（lì）官：做官。

③陈（zhèng）：通“阵”，战场，阵地。

④遂：成，实现。

⑤烖（zāi）：同“灾”，灾祸。

【原文】

孔子曰：五刑[①]之属[②]三千，而罪莫大于不孝。

【注释】

①五刑：五种刑法，即刺面、割鼻、断足、去势、死刑。

②属：类，种类。

君臣之义

【原文】

《礼记》曰：将适[①]公所[②]，宿齐戒[③]，居外寝[④]，沐浴。史[⑤]进象笏[⑥]，书思[⑦]对[⑧]命[⑨]。既服，习容观[⑩]，玉声[⑪]，乃[⑫]出。

【注释】

①适：往，到。

②公所：君王朝所处的地方。

③宿齐（zhāi）戒：前一天便整洁心身，不饮酒，不吃荤，不与妻妾同寝，以示虔诚。齐，通“斋”。

④外寝（qǐn）：正寝，也就是中门外的房屋，斋戒、居

丧的住所。

⑤史：掌管文史者。

⑥象笏（hù）：用象牙制成的板子，其上记着重要的事情，以防遗忘。

⑦思：想要告诉君王的事情。

⑧对：应对君王可能要问的事情。

⑨命：君王曾经命令自己奉行的事情。

⑩容观：仪容，风度。

⑪玉声：佩玉之声和缓中节。

⑫乃：方，才。

【原文】

《曲礼》曰：凡为君使者，已受命，君言不宿于家①。君言至，则主人出拜君言之辱②。使者归，则必拜送于门外。若使人于君所，则必朝服而命之③。使者反④，则必下堂而受命。

【注释】

①君言不宿于家：接受君命后，不能在家耽搁停留。

②君言之辱：谦辞，指自己不配跟君王说话。

③朝服而命之：穿上朝服以后，才指派人行事。此为敬重国君。

④反：通“返”，回来。

【原文】

《论语》曰：君召使摈[①]，色勃[②]如也，足躩[③]如也。揖[④]所与立，左右手，衣前后，襜如[⑤]也。趋进，翼如[⑥]也。宾退，必复命曰：“宾不顾[⑦]矣。”

【注释】

①摈（bìn）：通“傧”，接待宾客。

②勃：神色变得凝重，庄严。

③躩（jué）：疾行，快步走。

④揖（yī）：行拱手礼。

⑤襜（chān）如：礼服整齐的样子。

⑥翼如：张开手臂做拱手状，像鸟张开翅膀。

⑦顾：回头，回顾。

【原文】

《礼记》曰：君赐车马，乘以拜赐；衣服，服以拜赐。君未有命，弗[①]敢即乘服也。

【注释】

①弗（fú）：“不”的同源字。

【原文】

《论语》曰：君赐食，必正席先尝之。君赐腥[①]，必熟而荐[②]之。君赐生，必畜[③]之。

【注释】

①腥：生肉。

②荐：献，进。

③畜（xù）：养。

【原文】

君命召，不俟[1]驾行矣。

【注释】

①俟（sì）：等待。

【原文】

孔子曰：君子事君，进[1]思尽忠，退[2]思补过，将顺其美，匡[3]救其恶，故上下能相亲。

【注释】

①进：进见君主。

②退：退朝居于家。

③匡：纠正。

【原文】

君使臣以礼，臣事[1]君以忠。

【注释】

①事：侍奉。

【原文】

大臣以道事君，不可则止[①]。

【注释】

①止：停止侍奉君王。

【原文】

子路[①]问事君，子[②]曰："勿欺也，而犯[③]之。"

【注释】

①子路：仲由，字子路，春秋时鲁国人，孔子弟子。

②子：孔子。

③犯：冒犯，触犯，此处指不怕冒犯君王而规劝。

【原文】

鄙夫[①]可与事君也与哉[②]？其未得之也，患得之。既得之，患失之。苟[③]患失之，无所不至[④]矣。

【注释】

①鄙夫：卑鄙浅薄、庸俗不正的人。

②与（yú）哉：语气助词。

③苟：假如，如果。

④无所不至：任何事都干得出来。

【原文】

孟子曰：责难①于君谓之恭，陈善闭邪②谓之敬，吾君不能谓之贼。

【注释】

①责难：要求他人做难做的事情。

②陈善闭邪：陈述善道，禁闭邪心。

【原文】

有官守①者，不得其职，则去；有言责②者，不得其言，则去。

【注释】

①官守：官位职责。

②言责：以向君王进言为责任。

夫妇之别

【原文】

《士昏礼》曰：父醮①子，命之曰："往迎尔相②，承我宗事③，勖④帅⑤以敬，先妣⑥之嗣。若⑦则有常。"子曰："诺。唯恐弗堪⑧，不敢忘命。"父送女，命之曰："戒之敬之，夙夜无违命！"母施衿⑨结帨⑩，曰："勉之敬之，夙夜无违宫事⑪。"庶母[12]及门内施鞶[13]，申[14]之以父母之命，命之曰："敬恭听，宗[15]尔父母之言。夙夜无愆[16]，视诸衿鞶！"

【注释】

①醮（jiào）：婚礼时举行的一种仪节，以酒祭神。

②相：助，妻助夫，所以妻称"相"。

③宗事：宗庙之事。

④勖（xù）：勉励。

⑤帅：提倡，引导。

⑥先妣（bǐ）：亡母。此处指祖母和祖母辈以上的女性祖先。

⑦若：你。

⑧堪：能。

⑨衿（jīn）：又作"襟"，衣带，衣服的交领。

⑩帨（shuì）：佩巾。

⑪宫事：闺房之事，家内之事。

⑫庶母：父亲的妾。

⑬鞶（pán）：束衣的大带，男用革，女用丝。

⑭申：重申。

⑮宗：遵从，尊崇。

⑯愆（qiān）：过错，过失。

【原文】

孔子曰：妇人，伏[1]于人也，是故无专制之义，有三从[2]之道。在家从父，适[3]人从夫，夫死从子，无所敢自遂[4]也。教令不出闺门，事在馈食[5]之间而已矣。是故女及日[6]乎闺门之内，不百里而奔丧。事无擅[7]为，行无独成[8]。参知[9]而后动，可验而后言。昼不游庭[10]，夜行以火，所以正妇德也。女有五不取[11]：逆家子不取，乱家子不取，世有刑人[12]不取，世有恶疾不取，丧父长子[13]不取。妇有七去[14]：不顺父母，去；无子，去；淫，去；妒，去；有恶疾，去；多言，去；窃盗，去。有三不去：有所取，无所归[15]，不去；与更[16]三年丧，不去；前贫贱，后富贵，不去。凡此，圣人所以顺男女之际，重昏姻之始也。

【注释】

①伏：屈，服从。

②三从：即下文所言从父、从夫、从子。

③适：嫁。

④自遂：自专，自作主张。

⑤馈（kuì）食：供奉酒食。

⑥及日：整日，终日。

⑦擅（shàn）：任意。

⑧行无独成：行为不独立于男子。

⑨参知：禀告使知道，引申为众人皆知。

⑩庭：中庭。

⑪取：同“娶”。

⑫刑人：犯法的人，受刑的人。

⑬长子：此处指长女。

⑭去：休妻，并令其回娘家。

⑮有所取，无所归：将女子娶进家门时，女子有父亲有兄长，受过良好的妇德教育，而休妻时，女子的父亲与兄长已经去世，女子再无依靠。

⑯与更（yù gēng）：参与经历。

长幼之序

【原文】

孟子曰：孩提[①]之童，无不知爱其亲也；及其长也，无不知敬其兄也。

【注释】

①孩提：指幼童。

【原文】

徐行[①]后长者谓之弟。疾行先长者谓之不弟。

【注释】

①徐行：慢走。

【原文】

《曲礼》曰：见父之执[1]，不谓之进不敢进，不谓之退不敢退，不问不敢对。

【注释】

①父之执：父亲的朋友。执，好友，至交。

【原文】

年长以倍[1]则父事之[2]，十年以长则兄事之，五年以长则肩随[3]之。

【注释】

①年长以倍：大二十岁。

②父事之：以侍奉父亲的礼节来侍奉他。

③肩随：并行而稍稍落后一点。

【原文】

谋于长者，必操[1]几[2]杖以从之。长者问，不辞让[3]而对，非礼也。

【注释】

①操：持，拿。

②几（jī）：几案，可供人凭靠。

③辞让：推辞，谦让。

【原文】

从[1]于先生，不越路[2]而与人言。遭[3]先生于道，趋而进，正立拱手。先生与之言则对，不与之言则趋而退。从长者而上丘陵，则必乡[4]长者所视。

【注释】

①从：跟随。

②越路：离开原路而走到路旁去。

③遭：遇到，碰到。

④乡（xiàng）：通“向”，面向，朝向。

【原文】

长者与之提携[1]，则两手奉[2]长者之手。负剑辟咡[3]诏之，则掩口而对。

【注释】

①提携：牵手，扶持而行。

②奉（pěng）：通“捧”，捧着。

③辟咡（èr）：侧着头在耳边说话。辟，偏，侧。

【原文】

凡为长者粪之礼，必加帚[1]于箕[2]上，以袂[3]拘[4]而退，其尘不及长者，以箕自乡而扱[5]之。

【注释】

①帚：扫帚。

②箕（jī）：盛东西的用具，此处引申为清除垃圾的用具。

③袂（mèi）：衣袖。

④拘：遮，障。

⑤扱（xī）：收取。

【原文】

将即[1]席，容毋怍[2]。两手抠衣[3]，去齐[4]尺。衣毋拨，足毋蹶[5]。先生书策、琴瑟在前，坐而迁之，戒勿越。坐必安，执尔颜[6]。长者不及[7]，毋儳言[8]。正尔容，听必恭，毋剿说[9]，毋雷同[10]。必则古昔，称先王。

【注释】

①即：靠近，就。

②怍（zuò）：因惭愧脸色有所改变。

③抠（kōu）衣：提起衣裳。

④齐（zī）：衣服的下摆。

⑤蹶（jué）：疾行，疾走。

⑥执尔颜：使你的脸色保持正常。

⑦不及：没有说到，没有提及。

⑧儳（chán）言：别人的话未讲完，就从中插话。

⑨剿（chāo）说：照搬别人的话当作自己的话。

⑩雷同：附和别人的话。

【原文】

侍坐[①]于先生，先生问焉，终则对。请业[②]则起，请益[③]则起。

【注释】

①侍坐：陪伴尊者或长者坐。

②请业：请教学业上的问题。

③请益：继续问未尽的问题。

【原文】

尊客之前不叱[①]狗，让食不唾[②]。侍坐于君子，君子欠伸[③]，撰[④]杖屦，视日蚤莫[⑤]，侍坐者请出矣。

【注释】

①叱（chì）：呵斥。

②唾（tuò）：吐口水。

③欠伸：打哈欠，伸懒腰。

④撰（zhuàn）：持，拿，转动。

⑤蚤莫（zǎo mù）：早晚。蚤，通“早”。莫，通“暮”。

【原文】

侍坐于君子，君子问更端[①]，则起而对。

【注释】

①更端：更易事端，指别的事。

【原文】

侍坐于君子，若有告者曰：“少间[①]，愿有复也。”则左右[②]屏[③]而待。

【注释】

①少间：稍有空隙，等一会儿。

②左右：身边的人。

③屏（bǐng）：退避。

【原文】

长者赐，少者、贱者[①]不敢辞。

【注释】

①贱者：仆隶之类的人。

【原文】

御[①]同于长者，虽贰[②]不辞。偶坐[③]不辞。

【注释】

①御：侍奉。

②贰：这里表示丰盛的宴席。

③偶坐：陪坐，配坐。

【原文】

侍于君子，不顾望[①]而对，非礼也。

【注释】

①顾望：观望，看周围。

【原文】

《少仪》曰：尊长于己逾等[①]，不敢问其年。燕见[②]不将命[③]。遇于道，见则面[④]。不请所之[⑤]。侍坐，弗使不执[⑥]琴瑟。不画地，手无容[⑦]，不翣[⑧]也。寝则坐而将命。侍射则约矢[⑨]，侍投则拥矢[⑩]。胜则洗[⑪]而以请[⑫]。

【注释】

①逾（yú）等：超过一个等级，此处指长辈。

②燕见：私访，私下见面。

③将命：传命，传达主人和客人的话。

④见则面：长辈愿意见面，才能去见。

⑤不请所之：不问长者到什么地方去。

⑥执：拿起。

⑦手无容：不玩弄手指。

⑧翣（shà）：扇扇子。

⑨约矢：每次拿好规定的四支箭。

⑩拥矢：抱着四支箭。

⑪洗：洗好饮酒的用具。

⑫请：邀请长者饮酒。

【原文】

《王制》曰：父之齿[①]随行，兄之齿雁行[②]，朋友不相逾[③]。轻任[④]并[⑤]，重任分，斑白[⑥]者不提挈[⑦]。君子耆老[⑧]不徒行[⑨]，庶人耆老不徒食[⑩]。

【注释】

①齿：年齿，年龄。

②雁行：并列而稍后行走。

③逾：超越，越过。

④任：负担，背着。

⑤并：全部。

⑥斑白：头发黑白间杂，指年老者。

⑦提挈（qiè）：提拿东西。

⑧耆（qí）老：古代六十岁叫耆，七十岁叫老。

⑨徒行：徒步行走。

⑩徒食：只吃白饭而不吃肉。

【原文】

《论语》曰：乡人饮酒，杖者[①]出，斯[②]出矣。

【注释】

①杖者：拄拐杖的人，代指年老者。

②斯：才，于是。

朋友之交

【原文】

曾子曰：君子以文会友，以友辅①仁。

【注释】

①辅：帮助。

【原文】

孔子曰：朋友切切①偲偲②，兄弟怡怡③。

【注释】

①切切：恳切。

②偲偲（sī sī）：互相勉励规劝的样子。

③怡怡（yí yí）：和悦，和顺。

【原文】

孟子曰：责善①，朋友之道也。

【注释】

①责善：劝勉为善。责，劝勉，要求。

【原文】

子贡[①]问友，子曰："忠告而善道[②]之，不可则止[③]，毋自辱[④]焉。"

【注释】

①子贡：端木赐，字子贡，春秋时卫国人，孔子弟子。

②善道（dǎo）：以委婉的方式引导。道，通"导"，引导。

③止：终止，停止。

④自辱：自讨侮辱，自讨没趣。

【原文】

益者三友，损[①]者三友。友直、友谅[②]、友多闻，益矣；友便辟[③]、友善柔[④]、友便佞[⑤]，损矣。

【注释】

①损：伤害，有害。

②谅：诚信，诚实。

③便（pián）辟：精通礼仪而不正直，善于逢迎谄媚。

④善柔：善于谄媚而不守信。

⑤便（pián）佞：善于言辞却缺乏见识。

【原文】

孟子曰：不挟[①]长，不挟贵，不挟兄弟而友。友也者，友其德也，不可以有挟也。

【注释】

①挟（xié）：倚仗，恃以自重。

【原文】

《曲礼》曰：君子不尽人之欢[①]，不竭人之忠[②]，以全[③]交也。

【注释】

①欢：指别人对我有好感。

②忠：指别人对我尽心。

③全：保全。

【原文】

主人不问，客不先举[①]。

【注释】

①举：说话。

通论

【原文】

孔子曰：君子之事亲孝，故忠可移于君；事兄弟[①]，故顺[②]可移于长；居家理，故治可移于官。是以行成于内[3]，而名立于后世矣。

【注释】

①弟（tì）：通“悌”，弟顺从兄。

②顺：顺从，依照。

③内：家里。

【原文】

《礼记》曰：事亲有隐[1]而无犯[2]，左右[3]就养[4]无方[5]，服勤[6]至死，致丧[7]三年。事君有犯而无隐，左右就养有方，服勤至死，方丧[8]三年。事师无犯无隐，左右就养无方，服勤至死，心丧[9]三年。

【注释】

①隐：微言劝谏，规劝。

②犯：冒犯，犯颜直谏，冒尊长之威严而规劝。

③左右：在身旁。

④就养：奉养，伺候。

⑤无方：没有局限。

⑥服勤：尽心侍奉。

⑦致丧：极尽悲伤之情处理丧事。

⑧方丧：如同亲丧一样。方，如同。

⑨心丧：心有哀痛之情，但不穿丧服。

【原文】

晏子[1]曰：君令[2]臣共[3]，父慈子孝，兄爱弟敬，夫和妻柔，姑[4]慈妇[5]听，礼也。君令而不违，臣共而不二，父慈而教，子孝而箴[6]，兄爱而友，弟敬而顺，夫和而义，妻柔而正，姑慈而从，妇听而婉[7]，礼之善物[8]也。

【注释】

①晏子：姓晏，名婴，字仲，谥平，后多称之为平仲，春秋时齐国大夫，著名的政治家、思想家、外交家。

②君令：君王发布命令。

③共：通“恭”，恭敬。

④姑：婆婆。

⑤妇：媳妇。

⑥箴（zhēn）：规谏，劝诫。

⑦婉：和顺，柔顺。

⑧善物：美好的事。

【原文】

曾子曰：亲戚[1]不说[2]，不敢外交[3]；近者不亲，不敢求远[4]；小者不审，不敢言大。故人之生也，百岁之中，有疾病焉，有老幼焉，故君子思其不可复者[5]而先施焉。亲戚既没，虽欲孝，谁为孝[6]？年既耆艾[7]，虽欲悌，谁为悌？故孝有不及，悌有不时[8]，其斯之谓欤。

【注释】

①亲戚：父母和兄长。

②说（yuè）：通“悦”，高兴。

③外交：与家以外的人交往。

④求远：与外人密切交往。

⑤不可复者：无法返回的。

⑥谁为孝：孝敬谁。

⑦耆（qí）艾：年迈，年老。

⑧不时：没有机会。

【原文】

官怠于宦成[1]，病加于小愈[2]，祸生于懈惰[3]，孝衰于妻子。察此四者，慎终如始。《诗》云：“靡[4]不有初，鲜[5]克[6]有终。”

【注释】

①宦（huàn）成：官居高位，做大官。

②小愈：疾病稍好，稍减。

③懈（xiè）惰：松弛，懒惰。

④靡（mǐ）：没有。

⑤鲜（xiǎn）：少。

⑥克：能够。

【原文】

荀子[①]曰：人有三不祥。幼而不肯事长，贱而不肯事贵，不肖[②]而不肯事贤，是人之三不祥也。

【注释】

①荀子：荀况，战国时赵国人，著有《荀子》一书。

②不肖：不才，没有才德。

【原文】

无用[①]之辩，不急之察，弃而不治[②]。若夫君臣之义，父子之亲，夫妇之别，则日切磋[③]而不舍[④]也。

【注释】

①无用：不具实用价值。

②治：治理，钻研。

③切磋（cuō）：相互研讨勉励。

④舍：放弃，停止。

敬身第三

【题解】

所谓“敬身”，即是以恭敬之姿态持守自身。这一部分由“心术”“威仪”“衣服”“饮食”组成，分别讲述端正内心之要、端正外表之则、注重仪容之礼、抑制口欲之规。“心术”与“威仪”是敬身的主旨，“衣服”与“饮食”则用以奉养身体。此四者共同构成修养身心的方方面面。

【原文】

孔子曰：“君子无不敬也，敬身为大。身也者，亲之枝也①，敢不敬与？不能敬其身，是伤其亲；伤其亲，是伤其本；伤其本，枝从而亡。”仰②圣模，景贤范，述此篇以训③蒙士。

【注释】

①身也者，亲之枝也：子辈的身体是从父母的根本上长出来的枝节。

②仰：敬仰，仰慕。

③训：教育。

心术之要

【原文】

《丹书》[1]曰：敬胜怠者吉，怠胜敬者灭。义[2]胜欲者从，欲胜义者凶[3]。

【注释】

①《丹书》：书名，撰者不详。记上古三代史事及礼乐制度。

②义：至公的天理。

③凶：灾祸。

【原文】

《曲礼》曰：毋不敬，俨[1]若思，安定辞[2]，安民哉。敖[3]不可长，欲不可从[4]，志不可满，乐不可极。贤者狎[5]而敬之，畏而爱之。爱而知其恶，憎而知其善。积而能散，安安[6]而能迁。临[7]财毋苟得，临难毋苟免[8]，狠[9]毋求胜，分毋求多。疑事毋质[10]，直而勿有。

【注释】

①俨（yǎn）：端正，端庄。

②安定辞：所说之语准确且安详。

③敖（ào）：通“傲”，傲慢，骄傲。

④从（zòng）：通“纵”，放纵，放肆。

⑤狎（xiá）：亲近。

⑥安安：安于安乐欢喜的事物。

⑦临：面对。

⑧免：逃避。

⑨狠：争执。

⑩质：证实。

【原文】

孔子曰：非礼[1]勿视，非礼勿听，非礼勿言，非礼勿动。

【注释】

①非礼：不符合礼仪。

【原文】

出门如见大宾[1]，使民如承大祭[2]。己所不欲，勿施于人。

【注释】

①大宾：尊贵的宾客。

②大祭：重大的祭祀活动。

【原文】

居处[①]恭，执事敬，与人忠，虽之夷狄[②]，不可弃也。

【注释】

①居处：平时处世。

②夷狄：古时对少数民族的称呼。

【原文】

言忠信，行笃[①]敬，虽蛮貊[②]之邦行矣。言不忠信，行不笃敬，虽州里[③]行乎哉？

【注释】

①笃（dǔ）：厚实，厚重。

②蛮貊（mò）：蛮指南方的少数民族。貊指北方的少数民族。

③州里：此处指家乡。

【原文】

君子有九思：视思明，听思聪，色思温，貌思恭，言思忠，事思敬，疑思问，忿[①]思难[②]，见得[③]思义。

【注释】

①忿（fèn）：动怒，发怒。

②难（nàn）：灾祸，祸患。

③见得：面对所得利益。

【原文】

曾子曰：君子所贵[1]乎道者三：动容貌，斯远暴慢[2]矣；正颜色，斯近信矣；出辞气[3]，斯远鄙[4]倍[5]矣。

【注释】

①贵：重视，看重。

②暴慢：粗暴放肆。

③辞气：语言，语气。

④鄙：鄙陋低俗。

⑤倍：通“背”，违背。

【原文】

《曲礼》曰：礼不逾节[1]，不侵侮[2]，不好狎[3]，修身践言[4]，谓之善行。

【注释】

①逾节：跨越等级界限。

②侵侮（wǔ）：侵犯欺侮。

③好狎：亲昵而显得不庄重。

④践言：履行诺言。

【原文】

《乐记》曰：君子奸声[1]乱色[2]，不留聪明[3]；淫乐慝礼[4]，不接心术[5]；惰慢邪辟[6]之气，不设于身体。使耳目鼻口心知[7]百体[8]，皆由顺正，以行其义。

【注释】

①奸声：奸邪之声。

②乱色：秽乱之色。

③聪明：耳目。

④慝（tè）礼：违背礼仪的举动。

⑤心术：心灵，内心。

⑥邪辟（pì）：邪恶乖僻。辟，通“僻”，乖僻。

⑦心知（zhì）：心思智慧。知，通“智”，智慧。

⑧百体：身体的各个部分。

【原文】

孔子曰：君子食无求饱，居无求安。敏[1]于事而慎于言，就有道[2]而正[3]焉。可谓好学也已。

【注释】

①敏：勤快，勤勉。

②有道：遵行礼法之人。

③正：请求纠正，指教。

【原文】

管敬仲[1]曰：畏威[2]如疾，民之上也。从怀[3]如流[4]，民之下也。见怀思威，民之中也。

【注释】

①管敬仲：管夷吾，字仲，春秋时齐国人。

②威：刑法。

③怀：贪欲，欲望。

④流：水由上往下流。

威仪之则

【原文】

《冠义》曰：凡人之所以为人者，礼义[1]也。礼义之始，在于正容体[2]，齐颜色[3]，顺辞令[4]。容体正，颜色齐，辞令顺，而后礼义备[5]，以正君臣，亲父子，和长幼。君臣正，父子亲，长幼和，而后礼义立[6]。

【注释】

①礼义：礼仪法则。

②正容体：使容貌姿态端正。

③齐颜色：使脸色表情恰当。

④顺辞令：使言语和顺谦逊。

⑤备：齐备，具备。

⑥立：确立。

【原文】

《曲礼》曰：毋侧听[①]，毋噭应[②]，毋淫视[③]，毋怠荒[④]。游毋倨[⑤]，立毋跛[⑥]，坐毋箕[⑦]，寝毋伏。敛发毋髢[⑧]，冠毋免[⑨]。劳毋袒[⑩]，暑毋褰裳[⑪]。

【注释】

①侧听：侧耳探听，偷听。

②噭（jiào）应：高声答应。

③淫视：目光四处游动，不正视。

④怠（dài）荒：举止形态怠惰放纵。

⑤倨（jù）：傲慢无礼。

⑥跛（bǒ）：站立不稳，身体偏于一侧。

⑦箕（jī）：这里指箕坐，展开两足如箕形那样坐着。

⑧髢（dí）：头发散落垂下。

⑨免：脱下，摘下。

⑩袒（tǎn）：敞开衣服，露出身体。

⑪褰（qiān）裳：用手提起衣裳。

【原文】

登城不指[①]，城上不呼[②]。将适舍[③]，求无固[④]。

将上堂，声必扬。户外有二屦[5]，言闻则入，言不闻则不入。将入户[6]，视必下。入户奉扃[7]，视瞻[8]毋回。户开亦开，户阖[9]亦阖。有后入者，阖而勿遂[10]。毋践屦，毋踖[11]席，抠衣[12]趋隅[13]，必慎唯诺[14]。

【注释】

①不指：不指指点点。

②不呼：不高声呼叫。

③适舍：到主人家里。

④固：固执，坚决。

⑤屦（jù）：鞋子。

⑥户：单扇的门。

⑦扃（jiōng）：门栓。

⑧视瞻（zhān）：看。

⑨阖（hé）：关闭。

⑩遂：关门。

⑪踖（jí）：越过，跨过。

⑫抠（kōu）衣：提起衣裳。

⑬趋隅（yú）：快步走至席子一角。

⑭唯诺：应答。

【原文】

《礼记》曰：君子之容舒迟[1]，见所尊者齐遬[2]。足容重，手容恭，目容端，口容止[3]，声容静[4]，头容直，气容肃，立容德，色容庄。

【注释】

①舒迟：舒缓迟顿。

②齐（zhāi）遬（sù）：谨饬而不放肆。

③止：不妄自言笑。

④静：不咳嗽吐痰。

【原文】

《曲礼》曰：坐如尸[①]，立如齐[②]。

【注释】

①尸：古代祭祀时，祭祀之人代替受祭之人，尸居神位，必须庄重矜持。

②齐（zhāi）：通“斋”，祭祀时，祭者的态度必须恭敬。

【原文】

《少仪》曰：不窥密[①]，不旁狎，不道旧故[②]，不戏色。毋拔[③]来，毋报[④]往。毋渎[⑤]神，毋循枉[⑥]，毋测未至[⑦]。毋訾[⑧]衣服成器，毋身质言语[⑨]。

【注释】

①窥密：窥探他人隐秘之事。

②不道旧故：不随意谈论朋友的过失。

③拔：迅速，迅疾。

④报（fù）：通“赴”，急速。

⑤渎（dú）：亵渎辱慢。

⑥枉：过错，过失。

⑦测未至：妄自预测未来之事。

⑧訾（zǐ）：非议，诽谤。

⑨言语：毫无根据的流言。

【原文】

《论语》曰：车中，不内顾[①]，不疾言，不亲指[②]。

【注释】

①内顾：回头张望。

②亲指：随意乱指。

【原文】

《曲礼》曰：凡视，上于面则敖[①]，下于带则忧，倾则奸[②]。

【注释】

①敖（ào）：通“傲”，详见《敬身第三》“敖不可长”。

②奸：心术不正。

【原文】

《论语》曰：孔子于乡党[①]，恂恂[②]如也，似不能言者。其在宗庙[3]朝廷[4]，便便[5]言，唯谨[6]尔。朝与下大夫言，侃侃[7]如也。与上大夫言，訚訚[8]如也。

【注释】

①乡党：此处指家乡。

②恂恂（xún xún）：温顺恭敬的样子。

③宗庙：古代君主、诸侯祭祀祖先的庙宇。

④朝廷：古代君主接受朝见、处理政务的地方。

⑤便便（pián pián）：善于言辞，明辨是非。

⑥谨：谨慎而不放肆。

⑦侃侃（kǎn kǎn）：说话时刚正和乐的样子。

⑧訚訚（yín yín）：说话时和乐且明辨是非的样子。

【原文】

孔子食不语，寝[1]不言。

【注释】

①寝：睡，卧。

【原文】

《士相见礼》曰：与君言，言使臣。与大人[1]言，言事君。与老者言，言使弟子。与幼者言，言孝弟于父兄。与众言，言忠信慈祥。与居官者[2]言，言忠信。

【注释】

①大人：指卿大夫。

②居官者：士及庶人中担任官职的人。

【原文】

《论语》曰：席[1]不正不坐。

【注释】

①席：座席。

【原文】

子见齐衰[1]者，虽狎必变[2]；见冕者[3]与瞽者[4]，虽亵[5]必以貌[6]。凶服[7]者式之，式负版者[8]。

【注释】

①齐衰（zī cuī）：孝服，丧服。

②变：脸色改变。

③冕（miǎn）者：头戴礼帽之人。古时天子、诸侯和卿大夫皆戴礼帽。

④瞽（gǔ）者：盲人。

⑤亵（xiè）：熟悉。

⑥貌：指合乎礼仪的仪容。

⑦凶服：丧服。

⑧式负版者：手扶车前横木向背负国家图籍的人行

礼。式，通“轼”，车前用于扶手的横木。此处指尊重长者或地位高的人的一种礼节。

【原文】

《论语》曰：寝不尸①，居不容②。

【注释】

①尸：仰面而躺，如同尸体一样。

②居不容：居家时，不必把精力放在自己的仪容仪表上。

【原文】

子之燕居①，申申②如也，夭夭③如也。

【注释】

①燕居：闲居，退朝而居。

②申申：容貌舒展和乐。

③夭夭：脸上有欢愉之色。

【原文】

《曲礼》曰：并坐①不横肱②，授立不跪，授坐不立。

【注释】

①并坐：并排而坐。

②肱（gōng）：手臂，胳膊。

【原文】

入国[①]不驰[②]，入里[③]必式[④]。

【注释】

①国：国都。

②驰：骑马或乘车奔驰。

③里：里巷。

④式：通“轼”，详见“式负版者”注释。

【原文】

《少仪》曰：执虚[①]如执盈[②]，入虚[③]如有人。

【注释】

①虚：空的器具。

②盈：装满东西的器具。

③虚：空房间。

衣服之制

【原文】

《士冠礼》：始加[①]，祝曰：“令月[②]吉日，始加元服[③]。弃尔幼志[④]，顺尔成德[⑤]，寿考[⑥]维祺[⑦]，介[⑧]尔景福。”再加[⑨]，曰：“吉月令辰，乃申[⑩]尔服。敬尔威仪，淑[⑪]慎尔德。眉寿[⑫]万年，永受胡[⑬]福。”三加[14]，曰："以岁之正，以月之令，咸加尔服。兄弟具在，以成厥德[15]。黄耇[16]无疆，受天之庆。"

【注释】

①始加：第一次加缁布冠。

②令月：吉月。

③元服：指冠。古时称行冠礼为加元服。元，首、头。

④幼志：幼年时幼稚嬉戏之心。

⑤顺尔成德：谨慎修养你长大成人的美德。

⑥寿考：长寿。

⑦维祺：美好，吉祥。

⑧介：大。

⑨再加：第二次加皮弁。

⑩申：重。

⑪淑：美好，贤淑。

⑫眉寿：长寿。

⑬胡：无穷，无限。

⑭三加：第三次加爵弁。

⑮厥（jué）德：此处指长大成人的美德。

⑯黄耇（gǒu）：年老长寿者。

【原文】

《曲礼》曰：为人子者，父母存，冠衣不纯[1]素[2]，孤子[3]当室[4]，冠衣不纯采[5]。

【注释】

①纯（zhǔn）：指头冠和衣服的镶边。

②素：白。

③孤子：古时三十岁以下无父之人称为孤。

④当室：主持家事。

⑤采：彩色。

【原文】

《礼记》曰：童子不裘[1]，不帛[2]，不屦絇[3]。

【注释】

①不裘：不穿裘皮大衣。

②不帛：不穿丝帛质地的衣服。

③不屦絇（jù qú）：不穿鞋头有装饰的鞋子。

【原文】

孔子曰：士志于道[1]而耻恶衣恶食[2]者，未足与议也。

【注释】

①志于道：立志追求圣贤之道。

②恶衣恶食：穿不好，吃不好。

饮食之节

【原文】

《曲礼》曰：共食不饱，共饭①不泽手②。毋抟饭③，毋放④饭，毋流歠⑤。毋咤⑥食，毋啮⑦骨，毋反鱼肉，毋投与狗骨，毋固获⑧，毋扬饭⑨。饭黍毋以箸。毋嚃⑩羹，毋絮羹⑪，毋刺齿⑫，毋歠醢⑬。客絮羹，主人辞不能亨。客歠醢，主人辞以窭⑭。濡⑮肉齿决，干肉不齿决⑯。毋嘬⑰炙⑱。

【注释】

①共饭：吃饭时用同一个食器取饭。

②泽手：搓手。因古时吃饭不用筷子，而是用手抓，所以搓手会让人有种不洁净之感。

③抟（tuán）饭：将饭捏成饭团。

④放：毫无节制。

⑤流歠（chuò）：开口大饮。

⑥咤（zhà）：吃饭时口中发出声音。

⑦啮（niè）：啃，咬。

⑧固获：只取一种固定的食物。

⑨扬饭：挥手扬去饭的热气。

⑩嚃（tà）：不细细嚼，如囫囵吞枣那样咽下。

⑪絮羹：在羹汤里加调味品重新调味。

⑫刺齿：剔牙。

⑬醢（hǎi）：肉酱。

⑭窭（jù）：简陋，贫寒。

⑮濡（rú）：湿润，浸润。

⑯不齿决：不用牙齿咬断，而是用两手撕开。

⑰嘬（zuō）：一口吞下。

⑱炙（zhì）：烤肉。

【原文】

《少仪》曰：侍燕[①]食于君子，则先饭[②]而后已[③]。毋放饭[④]，毋流歠，小饭[⑤]而亟[⑥]之。数噍[⑦]，毋为口容[⑧]。

【注释】

①燕：通“宴”，宴饮，宴席。

②先饭：先替君子尝饭。

③后已：君子吃完饭以后，自己才能吃。

④放饭：毫无节制地吃。

⑤小饭：小口地吃饭。

⑥亟（jí）：快速下咽。

⑦噍（jiào）：咀嚼。

⑧口容：进食时口的形状，如鼓腮、咂嘴等。

【原文】

《礼记》曰：君无故[1]不杀牛，大夫无故不杀羊，士无故不杀犬豕[2]。君子远庖[3]厨[4]。凡有血气[5]之类，弗身[6]践[7]也。

【注释】

①无故：此处指不接待宾客，没有祭祀活动。

②豕（shǐ）：猪。

③庖（páo）：宰杀动物的场所。

④厨：烹饪的场所。

⑤血气：此处指动物。

⑥身：亲自，躬身。

⑦践：宰杀。

【原文】

《乐记》曰：豢豕[1]为酒[2]，非以为祸也，而狱讼[3]益繁，则酒之流[4]生祸也。是故先王因为酒礼[5]，一献[6]之礼，宾主百拜，终日饮酒而不得醉焉，此先王之所以备酒祸也。

【注释】

①豢豕（huàn shǐ）：养猪。

②为酒：酿酒。

③狱讼：讼案，讼事。

④流：过分，过度。

⑤因为酒礼：于是制定了饮酒的礼仪。

⑥一献：古时祭祀或宴饮时进酒一次，就是一献。

【原文】

孟子曰：饮食之人[1]则人贱[2]之矣，为其养小[3]以失大[4]也。

【注释】

①饮食之人：享受口腹之欲的人。

②贱：看轻，看不起。

③小：此处指口腹。

④大：此处指心志，志气。

稽古第四

【题解】

所谓“稽古”，即考察古代事迹。这部分考察了虞朝、夏朝、商朝、周朝圣贤的事迹，以此来充实和证明“立教”“明伦”“敬身”中所说的道理。

【原文】

孟子道性善[①]，言必称尧、舜[②]。其言曰：“舜为法于天下，可传于后世。我犹未免为乡人[③]也，是[④]则可忧也。忧之如何？如舜而已矣[⑤]。”摭往行[⑥]，实[⑦]前言[⑧]，述此篇使读者有所兴起。

【注释】

①性善：人之本性是美好的。

②尧、舜：传说中远古时代两位圣贤的帝王。

③乡人：平常人。

④是：这。

⑤而已矣：罢了。语气助词。

⑥摭（zhí）往行：选取先贤的德行。

⑦实：充实，证实。

⑧前言：先人的言论。

立教

【原文】

太任，文王[①]之母，挚[②]任氏之中女[③]也，王季[④]娶以为妃[⑤]。太任之性，端一诚庄[⑥]，惟德之行。及其娠[⑦]文王，目不视恶色[⑧]，耳不听淫声，口不出敖[⑨]言。生文王而明圣[⑩]，太任教之以一而识百，卒为周宗[⑪]。君子谓太任为能胎教[⑫]。

【注释】

①文王：周文王，姓姬名昌，西周的奠基者。

②挚：国名。

③中女：次女。

④王季：亦称季历，周文王的父亲。

⑤妃：此处引申为太子、王侯之妻。

⑥诚庄：真诚庄重。

⑦娠（shēn）：怀孕。

⑧恶色：邪恶之事。

⑨敖：通“傲”，详见《敬身之三》“敖不可长”。

⑩明圣：明达圣哲。

⑪周宗：周朝接受天命的君主，即开国君主。

⑫胎教：孕妇言行谨慎，给胎儿以良好的影响。

【原文】

孟轲之母，其舍近墓。孟子之少也，嬉戏为墓间之事①，踊跃②筑埋③。孟母曰："此非所以居子④也。"乃去。舍市⑤，其嬉戏为贾衒⑥。孟母曰："此非所以居子也。"乃徙⑦。舍学宫⑧之旁，其嬉戏乃设俎豆⑨，揖让进退。孟母曰："此真可以居子矣。"遂居之。孟子幼时问东家杀猪何为，母曰："欲啖⑩汝。"既而⑪悔曰："吾闻古有胎教，今适有知⑫而欺之，是教之不信。"乃买猪肉以食之。既长就学⑬，遂成大儒⑭。

【注释】

①墓间之事：办理丧事。

②踊跃：跳跃着号啕大哭。

③筑埋：筑造坟墓埋葬。

④居子：让孩子居住的地方。

⑤舍市：所住之地靠近集市。

⑥贾衒（gǔ xuàn）：做生意，做买卖。贾指坐商。衒指沿街叫卖的小贩。

⑦徙（xǐ）：迁走，迁移。

⑧学官：学校。

⑨俎（zǔ）豆：宴会、祭祀时所用的礼器。俎用来盛肉，豆用来盛食物。

⑩啖（dàn）：吃或给人吃。

⑪既而：不一会儿。

⑫适有知：刚刚知道的事情。

⑬就学：从师学习。

⑭大儒：儒家大师。

【原文】

孔子尝独立[1]，鲤[2]趋而过庭，曰："学《诗》乎？"对曰："未也。""不学《诗》，无以言。"鲤退而学《诗》。他日又独立，鲤趋而过庭，曰："学《礼》乎？"对曰："未也。" "不学《礼》，无以立。"鲤退而学《礼》。

【注释】

①独立：独自一人站立。

②鲤：孔鲤，字伯鱼，孔子之子。

【原文】

孔子谓伯鱼[1]曰："女[2]为[3]《周南》《召南》矣乎？人而不为《周南》《召南》，其犹正墙面而立[4]也与！"

【注释】

①伯鱼：孔鲤，孔子之子。

②女（rǔ）：通“汝”，你。

③为：学习。

④正墙面而立：面对墙壁站立。

明伦

【原文】

文王有疾，武王①不说②冠带而养。文王一饭，亦一饭；文王再饭，亦再饭③。

【注释】

①武王：周武王，姓姬名发，西周王朝的建立者。

②说（tuō）：通“脱”，脱掉。

③一饭、再饭：按照礼节，尊者进食后自己才可进食，尊者吃饱后自己才能吃饱。

【原文】

孔子曰：武王、周公①，其达孝②矣乎！夫孝者，善继人之志，善述③人之事者也。践其位，行其礼，奏其乐，敬其所尊，爱其所亲，事死如事生，事亡如事存，孝之至也。

【注释】

①周公：姓姬名旦，周文王之子。

②达孝：大家公认的孝子。

③述：遵循一定的法则去做。

【原文】

孟子曰：曾子养曾皙[①]，必有酒肉。将彻[②]，必请所与[③]。问有余，必曰“有”。曾皙死，曾元[④]养曾子，必有酒肉。将彻，不请所与。问有余，曰“亡矣[⑤]”。将以复进[⑥]也。此所谓养口体[⑦]者也。若曾子，则可谓养志[⑧]也。事亲若曾子者，可也。

【注释】

①曾皙：曾点，字皙，春秋时鲁国人，孔子弟子，曾参之父。

②彻：撤下，离开。

③所与：给谁。

④曾元：曾参之子。

⑤亡（wú）矣：没有了。亡：通“无”。

⑥复进：再一次进用。

⑦口体：口和身体。

⑧养志：赡养父母时能顺从其心意。

【原文】

老莱子[①]孝奉二亲，行年[②]七十，作婴儿戏，身着五色斑斓[3]之衣。尝取水上堂，诈[4]跌仆[5]卧地，为小儿啼。弄雏[6]于亲侧，欲亲之喜。

【注释】

①老莱子：春秋时期楚国人。

②行年：历经的年岁，引申为年龄。

③斑斓：色彩丰富错杂。

④诈（zhà）：假装。

⑤仆（pū）：向前跌倒。

⑥雏（chú）：幼鸟。

【原文】

伯俞[1]有过，其母笞[2]之，泣。其母曰："他日笞，子未尝泣。今泣，何也？"对曰："俞得罪[3]，笞常痛。今母之力不能使痛，是以泣。"故曰：父母怒之，不作于意[4]，不见于色[5]，深受其罪[6]，使可哀怜，上[7]也。父母怒之，不作于意，不见于色，其次[8]也。父母怒之，作于意，见于色，下[9]也。

【注释】

①伯俞：韩伯俞，以孝为德。

②笞（chī）：用鞭、竹板之类的东西抽打。

③得罪：犯过错。

④不作于意：不耿耿于怀。

⑤不见（xiàn）于色：脸上不表现出愤恨之色。

⑥深受其罪：因为有过错而甘愿接受惩罚。

⑦上：最好的，上等。

⑧次：第二，中等。

⑨下：最差的，下等。

【原文】

公明宣[①]学于曾子，三年不读书。曾子曰：“宣而居参[②]之门，三年不学，何也？”公明宣曰：“安[③]敢不学？宣见夫子居庭[④]，亲在[⑤]，叱咤[⑥]之声未尝至于犬马。宣说[⑦]之，学而未能。宣见夫子之应宾客，恭俭[⑧]而不懈惰。宣说之，学而未能。宣见夫子之居朝廷，严临下[⑨]而不毁伤。宣说之，学而未能。宣说此三者，学而未能。宣安敢不学而居夫子[⑩]之门乎？”

【注释】

①公明宣：姓公明，名为宣，春秋时期鲁国人。曾子学生。

②参：曾参。

③安：怎么，哪里。

④庭：家里。

⑤亲在：如若双亲在。

⑥叱咤（chì zhà）：大声呵斥。

⑦说（yuè）：通“悦”，喜欢。

⑧恭俭：恭敬节俭。

⑨临下：对待下属。

⑩夫子：老师。

【原文】

颜丁[1]善居丧：始死，皇皇[2]焉如有求而弗得。既殡[3]，望望[4]焉如有从而弗及。既葬，慨然[5]如不及其反而息。

【注释】

①颜丁：春秋时鲁国人。

②皇皇：彷徨不安。皇，通“徨”。

③殡（bìn）：停柩以待下葬。

④望望：瞻望依恋。

⑤慨然：惆怅感慨。

【原文】

曾子有疾，召门弟子[1]曰：“启予足！启予手！《诗》云：‘战战兢兢[2]，如临深渊，如履[3]薄冰。’而今而后，吾知免夫[4]！小子[5]！”

【注释】

①门弟子：学生。

②战战兢兢（jīng jīng）：谨慎且畏惧。

③履：行走，踩踏。

④免夫（fú）：避免，防止。

⑤小子：学生，弟子。

【原文】

武王伐纣，伯夷、叔齐[①]叩马[②]而谏。左右欲兵[③]之。太公[④]曰："此义人也。"扶而去之[⑤]。武王已平殷乱，天下宗周[⑥]，而伯夷、叔齐耻之，义不食周粟[⑦]，隐于首阳山，采薇[⑧]而食之，遂饿而死。

【注释】

①伯夷、叔齐：商朝孤竹国国君的两个儿子。

②叩马：拦在马前。

③兵：用兵器杀。

④太公：姓姜，吕氏，名尚，字五牙，亦称吕望。西周的开国元勋。

⑤扶而去之：下令将两人架到一侧。

⑥天下宗周：各个小国都承认周天子是普天下共同的君主。

⑦义不食周粟：坚守内心深处的道义，坚决不吃周朝施舍的粮食。

⑧薇：一种野菜名。

【原文】

王孙贾[①]事齐闵王[②]，王出走，贾失王之处[③]。其母曰：“女[4]朝去而晚来，则吾倚门而望。女莫出而不还，则吾倚[5]闾[6]而望。女今事王，王出走，女不知其处，女尚何归？”王孙贾乃入市中，曰：“淖齿[7]乱齐国，杀闵王。欲与我诛齿者，袒右[8]。”市人从之者四百人，与诛淖齿，刺而杀之。

【注释】

①王孙贾（gǔ）：姓王孙，名贾，齐国大夫。

②齐闵王：齐国国君，齐宣王之子。

③失王之处：不知道齐闵王逃到哪里去了。

④女（rǔ）：通“汝”，你。

⑤倚（yǐ）：靠。

⑥闾（lǘ）：里巷。

⑦淖（zhuō）齿：楚国人，曾奉楚王之命率军救齐国，齐闵王任命淖齿为齐相，而淖齿伺机杀掉了齐闵王。

⑧袒（tǎn）右：脱掉右袖，露出右臂。

【原文】

臼季[1]使，过冀，见冀缺[2]耨[3]，其妻馌[4]之，敬，相待如宾。与之归，言诸文公[5]，曰：“敬，德之聚也。能敬必有德。德以治民，君请用之。臣闻出门如宾[6]，承事如祭[7]，仁之则也。”文公以为[8]下军大夫[9]。

【注释】

①臼（jiù）季：名胥臣。

②冀缺：即郤缺。冀，国名，后为晋国所灭，成为郤缺的食邑。

③耨（nòu）：除草耕田。

④馌（yè）：提着做好的饭给田间耕作的人送去。

⑤文公：晋文公，晋国君主。

⑥出门如宾：出去办事像接待宾客那样谨慎认真。

⑦承事如祭：承担事务像参加祭祀那样虔诚恭敬。

⑧以为：以之为，此处引申为任用郤缺。

⑨下军大夫：官职名。

【原文】

虞、芮[①]之君相与争田，久而不平，乃相谓曰："西伯[②]，仁人也，盍[③]往质[④]焉？"乃相与朝周。入其境，则耕者让畔[⑤]，行者让路；入其邑，男女异路，斑白[⑥]者不提挈[⑦]；入其朝，士让为大夫，大夫让为卿。二国之君感而相谓曰："我等小人，不可以履君子之庭[⑧]。"乃相让，以其所争田为间田[⑨]而退。天下闻而归之[⑩]者四十余国。

【注释】

①虞（yú）、芮（ruì）：皆为周朝初期的诸侯国。

②西伯：指周文王。

③盍（hé）：何不。

④质：批判，评断。

⑤畔：田地的界限。

⑥斑白：指年老者。

⑦提挈（qiè）：用手提东西。

⑧庭：通“廷”，朝廷。

⑨间田：两方边界之间的无主荒地。

⑩归之：使其归顺周朝。

【原文】

曾子曰：以能问于不能，以多问于寡，有若无，实若虚，犯[①]而不校[②]。昔者吾友尝从事于斯[③]矣。

【注释】

①犯：冒犯，侵犯。

②校（jiào）：计较。

③斯：这。

【原文】

孔子曰：晏平仲[①]善与人交，久而敬之。

【注释】

①晏平仲：即晏婴，字仲，谥平。

敬身

【原文】

孟子曰：伯夷目不视恶色[1]，耳不听恶声[2]。

【注释】

①恶色：邪恶之物。

②恶声：奸淫之声。

【原文】

子游[1]为武城[2]宰[3]，子曰："女得人焉尔乎？"曰："有澹台灭明[4]者，行不由径[5]，非公事未尝至于偃[6]之室也。"

【注释】

①子游：姓言，名偃，字子游，春秋末吴国人，孔子弟子。

②武城：鲁国的城邑。

③宰：长官。

④澹（tán）台灭明：姓澹台，名灭明，字子羽，春秋时鲁国人，孔子弟子。

⑤径：小路。

⑥偃（yǎn）：言偃。

【原文】

子路[①]无宿诺。

【注释】

①子路：仲由，字子路，又字季路，春秋时鲁国人，“孔门十哲”之一。

【原文】

孔子曰：衣[①]敝缊[②]袍与衣狐貉[③]者立而不耻者，其[④]由也与！

【注释】

①衣（yì）：穿着。

②缊（yùn）：乱麻，旧絮。

③狐貉（háo）：用狐皮貉绒做成的裘衣。

④其：大约。

【原文】

孔子曰：贤哉回[①]也。一箪[②]食，一瓢饮，在陋巷。人不堪[③]其忧，回也不改其乐。贤哉回也！

【注释】

①回：颜回，字子渊，春秋末期鲁国人，孔子弟子。

②箪（dān）：盛饭用的竹器。

③不堪：难以忍受。

外　篇

【原文】

《诗》曰："天生烝①民，有物有则。民之秉②彝③，好是懿德④。"孔子曰："为此诗者，其知道⑤乎！故有物必有则⑥。民之秉彝也，故好是懿德。"历⑦传记，接⑧见闻，述嘉言⑨，纪善行，为《小学》外篇。

【注释】

①烝（zhēng）：众。

②秉（bǐng）：持着，握着。

③彝（yí）：常道，常性。

④懿（yì）德：美好的品德。

⑤知道：通晓天地之道，人世之理。

⑥故有物必有则：有存在的事物就有相对应的法则。

⑦历：完全，完整。

⑧接：接受，承接。

⑨嘉言：符合法则的言语。

嘉言第五

【题解】

所谓“嘉言”，即指美好的言语。这一部分属于《小学》中的《外篇》，续接了《内篇》中“稽古”的内容，收集自汉朝以来圣贤之人合乎礼仪的言论，用以扩充《内篇》中“立教”“明伦”“敬身”所阐述的道理。需要说明的是，“嘉言”这一篇中所列的圣贤之语，并不是按时代的先后进行排列的。

广立教

【原文】

横渠张先生①曰：教小儿，先要安详恭敬。今世学②不讲，男女从幼便骄惰③坏了，到长益凶狠。只为未尝为子弟④之事，则于其亲⑤已有物我⑥，不肯屈下。病根⑦常在，又随所居而长，至死只依旧。为子弟则不能安洒扫应对，接⑧朋友则不能下朋友，有官长则不能下⑨官长，为宰相则不能下天下之贤。甚则至于徇[10]私意，义理都丧。也只为病根不去，随所居所接而长。

【注释】

①横渠张先生：张载，字子厚，北宋思想家、教育家，理学创始人之一。

②世学：社会与学校。

③骄惰：为人张扬骄傲，处世怠慢不符合礼节。

④子弟：后辈之人。

⑤亲：父母，双亲。

⑥物我：彼此之分。

⑦病根：疾病之根源。

⑧接：结交。

⑨下：谦虚退让。

⑩徇：顺从，遵循。

【原文】

杨文公[1]《家训》曰：童稚之学，不止记诵。养其良知[2]良能[3]，当以先入之言[4]为主。日记[5]故事[6]，不拘古今，必先以孝悌、忠信、礼义、廉耻等事，如黄香扇枕[7]、陆绩怀桔[8]、叔敖阴德[9]、子路负米[10]之类，只如俗说，便晓此道理。久久成熟，德性若自然[11]矣。

【注释】

①杨文公：杨亿，字大年，北宋文学家。

②良知：指天生本然，不学而得的，能够判断善恶的经验智慧。

③良能：人生来即具有的才能。

④先入之言：自幼便时常听到的言语。

⑤日记：每天记录。

⑥故事：从前的事例。

⑦黄香扇枕：黄香，字文疆，汉代江夏人，他自幼孝顺，夏天为父亲扇枕，驱走蚊虫，冬天为父亲暖被。

⑧陆绩怀桔：陆绩，字公纪，三国时吴国人。他六岁时到袁术家做客，袁术以橘子招待他，他没有吃，而是将橘子带回家给母亲吃。桔，也作“橘”。

⑨叔敖阴德：指孙叔敖幼年时杀蛇的故事。叔敖，孙叔敖，春秋时楚国人。他年幼时外出见到一条双头蛇，便将蛇打死。回家后，他哭泣起来。母亲问他为何事而哭，他告诉母亲，人们说见到双头蛇的人会死，他便看见了。母亲问他双头蛇在哪里，他回答说因担心别人看见而死，就把双头蛇杀掉埋了。母亲便说，上天会赐福于有阴德的人，他一定不会死去。

⑩子路负米：仲由，字子路，孔子弟子。他自幼家贫，自己吃粗鄙的食物，却到百里之外背回精米给父母吃。

⑪自然：天生，天然。

【原文】

陈忠肃公[1]曰：幼学之士，先要分别人品之上下，何者是圣贤所为之事，何者是下愚[2]所为之事。向善背恶[3]，去彼取此[4]，此幼学所当先也。颜子、孟子[5]，亚圣也，学之虽未至，亦可为贤人。今学者若能知此，则颜、孟之事，我亦可学。言温而气和，则颜子之不迁[6]，渐可学矣；过而能悔，又不惮[7]改，则颜子之不贰[8]，渐可学矣。知埋鬻[9]之戏不如俎豆，念慈母之爱至于三迁，自幼至老，不厌不改[10]，终始一意，则我之不动心亦可以如孟子矣。若夫立志不高，则其学皆常人之事，语[11]及颜、孟，则不敢当也。其心必曰："我为孩童，岂敢学颜、孟哉？"此人不可以语上[12]矣。先生长者见其卑下，岂肯与之语哉！先生长者不肯与之语，则其所与语皆下等人也。言不忠信，下等人也；行不笃敬[13]，下等人也；过而不知悔，下等人也；悔而不知改，下等人也。闻下等之语，为下等之事，譬如坐于房舍之中，四面皆墙壁也，虽欲开明。不可得矣。

【注释】

①陈忠肃公：陈瓘，字莹中，号了翁，谥忠肃，宋延平沙县（今属福建）人。

②下愚：极其愚笨之人。

③向善背恶：亲近善人，远离恶人。

④去彼取此：除掉恶的，选择善的。

⑤颜子、孟子：颜回和孟轲。

⑥不迁：不迁怒于人。

⑦惮（dàn）：忌惮，害怕。

⑧不贰：不犯两次同样的错误。

⑨埋鬻（yù）：孟子年幼时居住在坟墓旁边就学习下葬之事，居住在市场旁边就学习买卖之事。埋，下葬，埋葬。鬻，卖出。

⑩不厌不改：学习从来不自满、自傲，守志从来不改变。

⑪语：谈论。

⑫语（yù）上：告诉他上等的道理、礼仪。

⑬笃敬：笃厚恭敬。

【原文】

马援[1]兄子严、敦[2]并喜讥议[3]，而通轻[4]侠客。援在交趾[5]，还书诫之曰：吾欲汝曹[6]闻人过失，如闻父母之名，耳可得闻，口不可得言也。好议论人长短，妄是非正法[7]，此吾所大恶[8]也，宁死不愿闻子孙有此行[9]也。龙伯高[10]敦厚周慎，口无择言，谦约节俭，廉公有威，吾爱之重之，愿汝曹效之。杜季良[11]豪侠好义，忧人之忧，乐人之乐，清浊无所失[12]，父丧致客[13]，数郡毕至，吾爱之重之，不愿汝曹效也。效伯高不得，犹为谨敕[14]之士，所谓刻鹄[15]不成，尚类鹜[16]者也。效季良不得，陷为天下轻薄子，所谓画虎不成反类狗者也。

【注释】

①马援：字文渊，西汉末至东汉初年著名的军事家，东汉开国功臣之一。

②兄子严、敦：马援哥哥的儿子马严、马敦。

③讥议：议论讥讽。

④通轻：结交，交往。

⑤交趾（zhǐ）：又名交阯，汉代郡名，现为越南北部。

⑥汝曹：你们。

⑦是非正法：议论国法的对错。

⑧大恶（wù）：最为痛恨。

⑨行（xíng）：品行。

⑩龙伯高：名述，东汉时期人。

⑪杜季良：杜保，东汉人，官至越骑司马。

⑫清浊无所失：结交之人，无论高洁或庸俗，皆同等对待，不加区别。

⑬致客：前来吊丧的宾客。

⑭谨敕（chì）：谨慎整肃。

⑮鹄（hú）：一种水鸟，形似鹅，俗称天鹅。

⑯鹜（wù）：野鸭。

【原文】

汉昭烈[①]将终[②]，敕[③]后主[④]曰："勿以恶小而为之，勿以善小而不为。"

【注释】

①汉昭烈：刘备，字玄德，三国蜀汉开国君王。

②将终：临死。

③敕（chì）：告诫。

④后主：刘禅，刘备的儿子。

【原文】

诸葛武侯[①]《戒子书》曰：君子之行，静以修身，俭以养德。非淡泊[②]无以明志，非宁静无以致远[③]。夫学须静也，才须学也。非学无以广才[④]，非静无以成学。慆慢[⑤]则不能研精，险躁则不能理性。年与时驰，意与岁去，遂成枯落，悲叹穷庐，将复何及也！

【注释】

①诸葛武侯：诸葛亮，字孔明，号卧龙，三国时期蜀汉丞相，封武乡侯。

②淡泊：淡薄名利，恬淡寡欲。

③致远：实现远大的理想。

④广才：增加才能。

⑤慆（tāo）慢：怠惰，怠慢。

【原文】

柳玭[①]尝著书[②]戒其子弟曰：坏名灾己，辱先丧家，其失尤大者五，宜深志之。其一，自求安逸，靡甘澹泊[③]。苟利于己，不恤人言[④]。其二，不知儒术，不悦古道。懵[⑤]前经而不耻，论当世以解颐[⑥]。身既寡知，恶人有学。其三，胜己者厌之，佞己者悦之。唯乐戏谈，莫思古道。闻人之善嫉之，闻人之恶扬之。浸渍[⑦]颇僻[⑧]，销刻[⑨]德义。簪裾[⑩]徒在，厮养[⑪]何殊？其四，崇好优游，耽嗜[⑫]曲糵[⑬]。以衔杯[⑭]为高致，以勤事为俗流。习之易荒，觉已难悔。其五，急于名宦[⑮]，匿[⑯]近权要，一资半级，虽或得之，众怒群猜，鲜有存者。余见名门右族[⑰]，莫不由祖先忠孝勤俭以成立之，莫不由子孙顽率[⑱]奢傲以覆坠之。成立之难如升天，覆坠[⑲]之易如燎毛。言之痛心，尔宜刻骨。

【注释】

①柳玭（pín）：柳公绰之孙，柳仲郢之子，字直清，唐京兆华原（今陕西耀县）人。

②著书：写信。

③靡（mǐ）甘澹泊：不安于清心寡欲。

④不恤（xù）人言：无视旁人的议论。恤，忧虑，顾虑。

⑤懵（měng）：无知。

⑥解颐：喜笑颜开。颐，指面、腮。

⑦浸渍（zì）：浸泡，熏染。

⑧颇僻：不正。

⑨销刻：败坏，毁坏。

⑩簪裾（zān jū）：衣冠穿戴，仪容仪表。

⑪厮养：奴仆，下人。

⑫耽嗜（shì）：沉溺于不良的嗜好之中。

⑬曲蘖（niè）：酒。

⑭衔（xián）杯：饮酒。

⑮名宦（huàn）：名誉和官职。

⑯匿（nì）：暗暗地。

⑰名门右族：门第尊贵的大家族。

⑱顽率：顽劣轻率。

⑲覆坠：衰落，衰败。

【原文】

节孝徐先生[①]训学者[②]曰：诸君欲为君子，而使[③]劳己之力，费己之财，如此而不为君子，犹可也。不劳己之力，不费己之财，诸君何不为君子？乡人贱之，父母恶之，如此而不为君子，犹可也。父母欲之，乡人荣之，诸君何不为君子？又曰：言其所善[④]，行其所善，思其所善，如此而不为君子，未之有也[⑤]。言其不善，行其不善，思其不善，如此而不为小人，未之有也。

【注释】

①节孝徐先生：徐积，字仲车，北宋时期人。赐谥节孝处士，故称节孝先生。

②学者：学生。

③而使：如果，假使。

④所善：好的事情。

⑤未之有也：没有听说过，没有这回事。

【原文】

古灵陈先生[①]为仙居令[②]，教其民曰：为吾民者，父义母慈，兄友弟恭子孝，夫妇有恩，男女有别，子弟有学，乡闾有礼。贫穷患难，亲戚相救，婚姻死丧，邻保[③]相助。无堕[④]农业，无作盗贼，无学赌博，无好争讼[⑤]，无以恶陵[⑥]善，无以富吞贫。行者让路，耕者让畔，斑白者不负戴于道路，则为礼义之俗矣。

【注释】

①古灵陈先生：陈襄，字述古，北宋福州侯官（今福

建福州）人。

②仙居令：台州仙居县的县令。

③邻保：邻居。宋代实行编户制度，一保是十户人家。

④堕（duò）：通“惰”，懒惰，懈怠。

⑤争讼（sòng）：因争论而诉讼。

⑥陵：通“凌”，欺凌。

广明伦

【原文】

司马温公[①]曰：凡诸卑幼，事无大小，毋得专行，必咨禀[②]于家长[③]。

【注释】

①司马温公：司马光，字君实，赠温国公，故称。

②咨禀（zī bǐng）：禀告，请教。

③家长：家庭的主人。

【原文】

凡子受父母之命，必籍记[①]而佩之[②]，时省[③]而速行之，事毕则返命焉。或所命有不可行者，则和色柔声，具是非利害而白[④]之，待父母之许，然后改之。若不许，苟于事无大害者，亦当曲从[⑤]。若以父母之命为非而直行己志[6]，虽所执皆是，犹为不顺之子，况未必是乎！

【注释】

①籍记：用记事簿记下。

②佩之：将其佩戴于身上。

③省（xǐng）：看。

④白：说明，禀告。

⑤曲从：委屈顺从。

⑥直行己志：直接按照自己的想法去做。

【原文】

横渠先生[1]曰：舜之事亲，有不悦者，为父顽母嚚[2]，不近人情。若中人[3]之性，其爱恶若无害理，必姑顺之。若亲之故旧所喜，当极力招致[4]。宾客之奉，当极力营办[5]。务以悦亲为事，不可计家之有无。然又须使之不知其勉强劳苦。苟使见其为而不易，则亦不安矣。

【注释】

①横渠先生：张载。

②父顽母嚚（yín）：父亲顽固愚昧，母亲暴戾愚蠢。

③中人：一般人。

④招致：请来，招来。

⑤营办：筹办，承办。

【原文】

伊川先生[①]曰：病卧于床，委之庸医，比[②]之不慈不孝。事亲者亦不可不知医。

【注释】

①伊川先生：程颐，字正叔，洛阳伊川（今河南洛阳）人，世称伊川先生。

②比：等同。

【原文】

司马温公曰：冠者，成人之道[①]也。成人者，将责[②]为人子、为人弟、为人臣、为人少者之行也。将责四者之行于人，其礼可不重与？冠礼之废久矣。近世以来，人情尤为轻薄。生子犹饮乳，已加巾帽，有官者或为之制公服而弄之。过十岁犹总角[③]者，盖鲜矣。彼责以四者之行，岂能知之？故往往自幼至长，愚骙[④]如一，由不知成人之道故也。古礼虽称二十而冠，然世俗之弊不可猝[⑤]变。若敦厚好古之君子，俟[⑥]其子年十五以上，能通《孝经》《论语》，粗知礼义之方，然后冠之，斯其美矣。

【注释】

①成人之道：成年人的标志。

②责：要求，承担。

③总角：儿童未成年前，头发梳成两个髻，向上分开，形态如角。

④愚骙（ái）：愚昧，不明事理。

⑤猝（cù）：突然。

⑥俟（sì）：等待。

【原文】

吕氏[①]《童蒙训》[②]曰：事君如事亲，事官长如事兄，与同僚[③]如家人，待群吏如奴仆，爱百姓如妻子，处官事如家事，然后能尽吾之心。如有毫末[④]不至，皆吾心有所未尽也。

【注释】

①吕氏：吕本中，字居仁，吕公著曾孙，吕希哲孙，南宋寿州（今属安徽寿县）人，官至中书舍人，世称东莱先生。

②《童蒙训》：由吕本中撰写而成，共三卷，是一套体系相对完整的家塾教材。

③同僚：同事，同为君主效力之人。

④毫末：毫毛的末端。此处比喻极其细微。

【原文】

明道先生[1]曰：一命[2]之士，苟存心于爱物[3]，于人必有所济。

【注释】

①明道先生：程颢，字伯淳，北宋著名理学家，世称明道先生。

②一命：受过朝廷任命。

③物：此处指人。

【原文】

刘安礼[1]问临民[2]，明道先生曰："使民各得输[3]其情。"问御吏，曰："正己以格物[4]。"

【注释】

①刘安礼：字立之，程颢弟子。

②临民：治理百姓。

③输：表达。

④格物：探究穷尽事物的道理。此处引申为使别人端正。

【原文】

伊川先生[1]曰：居是邦[2]，不非[3]其大夫，此理最好。

【注释】

①伊川先生：程颐。

②邦：邦国，诸侯国。

③非：议论是非。

【原文】

《童蒙训》曰：当官之法，惟有三事：曰清[1]，曰慎[2]，曰勤[3]。知此三者，则知所以持身矣。

【注释】

①清：清廉不贪。

②慎：谨慎守法。

③勤：勤勉执事。

【原文】

当官者，凡异色人[1]皆不宜与之相接，巫祝[2]尼[3]媪[4]之类，尤宜疏绝，要以清心省事为本。

【注释】

①异色人：不务正业之人。

②巫祝：装神弄鬼之人。

③尼：尼姑。

④媪（ǎo）：牙婆，即旧时民间以介绍人口买卖为业从中牟取暴利的妇女。

【原文】

后生少年，乍[①]到官守[②]，多为猾[③]吏所饵[④]，不自省察，所得毫末，而一任之间，不复敢举动。大抵作官嗜利[⑤]，所得甚少，而吏人所盗不赀[⑥]矣。以此被重谴[⑦]，良[⑧]可惜也。

【注释】

①乍：刚刚。

②官守：做官所在的地方。

③猾：狡猾，狡诈。

④饵：以物质为诱饵而引诱人。

⑤嗜利：喜好资财。

⑥不赀（zī）：难以计算的财富，形容数量多。赀，通“资”，资财。

⑦重谴（qiǎn）：重罚，重贬。

⑧良：实在，极其。

【原文】

当官者，先以暴怒为戒。事有不可，当详处之，必无不中[①]。若先暴怒，只能自害，岂能害人！

【注释】

①中（zhòng）：符合事理，符合常理。

【原文】

夫有人民而后有夫妇，有夫妇而后有父子，有父子而后有兄弟。一家之亲，此三者[1]而已矣。自兹以往[2]，至于九族[3]，皆本于三亲焉。故于人伦为重者也，不可不笃。兄弟者，分形连气[4]之人也。方其幼也，父母左提右挈，前襟后裾[5]，食则同案，衣则传服[6]，学则连业[7]，游则共方。虽有悖乱[8]之人，不能不相爱也。及其壮也，各妻其妻[9]，各子其子，虽有笃厚之人，不能不少衰[10]也。娣姒[11]之比兄弟则疏薄矣。今使疏薄之人而节量[12]亲厚之恩，犹方底而圆盖，必不合矣。唯友悌深至，不为傍人之所移者，免夫！

【注释】

①三者：此处指前文所提到的夫妇、父子、兄弟。

②自兹以往：自此向外推求。

③九族：上可推求至高祖、曾祖、祖父、父亲，向下可推求至儿子、孙子、曾孙、玄孙，而自己是推求之本位。

④连气：心气相连。

⑤前襟后裾（jū）：哥哥在前拽着父母衣服的前襟，弟弟在后拉着父母衣服的后摆，形容兄弟友爱。

⑥传服：此处指大的孩子穿过的衣服再传给小的孩子。

⑦连业：此处指大的孩子用过的书本再传给小的孩子。业，书写典籍的大版。

⑧悖（bèi）乱：神志昏乱糊涂。

⑨各妻其妻：每个人都娶了自己的妻子。

⑩少衰：稍稍减弱。

⑪娣姒（dì sì）：即兄弟的妻子，俗称妯娌。年长为姒，年幼者为娣。

⑫节量：节制限量。

【原文】

伊川先生①曰：今人多不知兄弟之爱。且如闾阎②小人③，得一食必先以食父母，夫何故④？以父母之口重于己之口也。得一衣必先以衣⑤父母，夫何故？以父母之体重于己之体也。至于犬马亦然，待父母之犬马，必异乎己之犬马也。独⑥爱父母之子，却轻于己之子，甚者⑦至若仇敌，举世皆如此，惑之甚矣。

【注释】

①伊川先生：程颐。

②闾阎（lǘ yán）：这里指民间。

③小人：此处指黎民百姓。

④夫（fú）何故：这是什么原因呢？夫，这、那。指示代词。

⑤衣（yì）：穿。

⑥独：仅仅，唯独。

⑦甚者：严重的，突出的。

【原文】

伊川先生[①]曰：近世浅薄[②]，以相欢狎[③]为相与，以无圭角[④]为相欢爱。如此者，安能久？若要久，须是恭敬。君臣朋友，皆当以敬为主也。

【注释】

①伊川先生：程颐。

②浅薄：指人肤浅无知。

③欢狎（xiá）：欢喜亲昵。

④圭（guī）角：锋芒，棱角。

【原文】

横渠先生[①]曰：今之朋友，择其善柔以相与，拍肩执袂[②]以为气合，一言不合，怒气相加。朋友之际[③]，欲其相下[④]不倦，故于朋友之间，主于敬者，日相亲与，得效最速。

【注释】

①横渠先生：张载。

②袂（mèi）：衣袖，袖口。

③际：相交，接近。

④相下：相互谦让，礼让。

【原文】

《童蒙训》曰：同僚之契[①]，交承[②]之分，有兄弟之义。至其子孙，亦世讲之。前辈专以此为务，今人知之者盖少矣。又如旧举将[③]及尝为旧任按察官[④]者，后己官虽在上，前辈皆辞避坐[⑤]下坐[⑥]。风俗如此，安得不厚乎？

【注释】

①契：契合，相投。

②交承：职位交接。

③举将：指推荐者。

④按察官：巡视考察的官员。

⑤避坐：避席，以此表示尊敬之意。

⑥下坐：末席。

【原文】

范文正公[①]为参知政事[②]时，告诸子曰："吾贫时，与汝母养吾亲。汝母躬[③]执爨[④]，而吾亲甘旨[⑤]未尝充也。今而得厚禄，欲以养亲，亲不在矣。汝母亦已早世。吾所最恨[⑥]者，忍令若曹[⑦]享富贵之乐也。吾吴中[⑧]宗族甚众，于吾固有亲疏[⑨]。然吾祖宗视之，则均是子孙，固无亲疏也。苟祖宗之意无亲疏，则饥寒者吾安得不恤[10]也？自祖宗来，积德百余年而始发于吾，得至大官。若独享富贵而不恤宗族，异日何以见祖宗于地下？今何颜入家庙[11]乎？”于是恩例[12]俸赐[13]常均于族人，并置义田宅[14]云。

【注释】

①范文正公：范仲淹，字希文，北宋苏州吴县（今江苏苏州）人，卒谥文正。

②参知政事：与宰相在政事堂一起议论政事的官职。

③躬：亲身，亲自。

④执爨（cuàn）：烧火做饭。

⑤甘旨：美食。

⑥恨：遗憾。

⑦若曹：你们。

⑧吴中：古称吴县，今属苏州。

⑨亲疏：亲近与疏远。

⑩恤（xù）：体恤，同情。

⑪家庙：祖庙宗祠。

⑫恩例：帝王为宣示恩德而颁布的条例、规定。

⑬俸赐：俸禄和所得的赏赐。

⑭义田宅：义田与义宅，是为赡养族人或贫困之人而建的。

【原文】

司马温公[①]曰：凡为家长，必谨守礼法，以御群子弟及家众[②]。分之以职，授之以事，而责[③]其成功[④]。制财用之节[⑤]，量[⑥]入以为出，称[⑦]家之有无以给上下之衣食。及吉凶[⑧]之费皆有品节[⑨]，而莫不均一。裁省冗[⑩]费，禁止奢华，常须稍存赢余，以备不虞[⑪]。

【注释】

①司马温公：司马光。

②家众：家中众人，此处指家中的奴婢和仆人。

③责：要求，督促。

④成功：做好事情。

⑤节：节制。

⑥量：衡量。

⑦称（chèn）：符合，相当。

⑧吉凶：吉事和凶事。

⑨品节：以等级、层次为衡量标准进行节制。

⑩冗（rǒng）：闲散的，多余无用的。

⑪虞（yú）：预料。

广敬身

【原文】

董仲舒[①]曰：仁人者，正其谊[②]不谋其利，明其道不计其功。

【注释】

①董仲舒：西汉广川（今属河北）人，有“天人感应”“三纲五常”之说。

②谊：通“义”，道义，义理。

【原文】

孙思邈[①]曰：胆欲大而心欲小，智欲圆[②]而行欲方[③]。

【注释】

①孙思邈（miǎo）：唐代华原（今属陕西）人，著名医学家。

②圆：圆润，圆通。

③方：方正。

【原文】

古语云：从[①]善如登[②]，从恶如崩[③]。

【注释】

①从：顺从。

②登：攀登。

③崩：坠落，崩落。

【原文】

孝友先生朱仁轨[1]隐居养亲，常诲子弟曰："终身让路，不枉[2]百步；终身让畔，不失一段。"

【注释】

①朱仁轨：字德容，唐代永城（今属河南）人。谥号为孝友先生。

②枉：白费，多费。

【原文】

仲由[1]喜闻过，令名[2]无穷焉。今人有过不喜人规[3]，如护疾而忌医[4]，宁[5]灭其身而无悟也，噫[6]！

【注释】

①仲由：字子路，春秋时鲁国人，孔子弟子。

②令名：美好的名声。

③规：规劝，劝勉。

④忌医：忌讳治疗。

⑤宁（nìng）：宁愿，宁可。

⑥噫（yī）：表示感叹的语词。

【原文】

伊川先生[①]曰：只整齐[②]严肃[③]，则心便一。一则自无非辟[④]之干[⑤]。

【注释】

①伊川先生：程颐。

②整齐：整治仪容。

③严肃：仪容庄重端正。

④非辟：邪僻。

⑤干：干扰，扰乱。

【原文】

伊川先生甚爱《表记》“君子庄敬[①]日[②]彊，安肆[③]日偷[④]”之语。盖常人之情，才放肆则日就旷荡[⑤]，自简束[⑥]则日就规矩[⑦]。

【注释】

①庄敬：庄重恭敬。

②日：日渐，一天天地。

③安肆：安乐放肆。

④偷：苟且。

⑤旷荡：放荡不羁。

⑥简束：检点约束。

⑦规矩：法度，礼法。

【原文】

人于外物[①]奉[②]身者，事事要好，只有自家一个身与心，却不要好。苟得外物好时，却不知道自家身与心已自先不好了也。

【注释】

①外物：身外之物，诸如饮食、衣服、房屋之类。

②奉：奉养，侍候。

【原文】

伊川先生[①]言：人有三不幸：少年登[②]高科[③]，一不幸；席[④]父兄之势为美官，二不幸；有高才[⑤]，能文章，三不幸也。

【注释】

①伊川先生：程颐。

②登：中举。

③高科：科举高第。

④席：倚仗，凭借。

⑤高才：杰出才能。

【原文】

横渠先生[1]曰：学者舍礼义，则饱食终日无所猷[2]为，与下民[3]一致。所事不逾[4]衣食之间，燕游[5]之乐耳。

【注释】

①横渠先生：张载。

②猷（yóu）：谋划，打算。

③下民：此处指不求学问的下等人。

④不逾(yú)：不超过。

⑤燕游：宴饮游乐。

【原文】

范忠宣公[1]戒子弟曰：人虽至愚，责人则明；虽有聪明，恕己则昏[2]。尔曹但常以责人之心责己，恕己之心恕人，不患不到圣贤地位[3]也。

【注释】

①范忠宣公：范纯仁，字尧头，谥忠宣。范仲淹之子。

②昏：糊涂。

③地位：地步，程度。

【原文】

攻[1]其恶[2]，无攻人之恶。盖自攻其恶，日夜且自点简，丝毫不尽，则慊[③]于心矣，岂有工夫点简他人邪[④]？

【注释】

①攻：治理，指责。

②其恶：自己的过错。

③慊（qiàn）：不满，怨恨。

④邪：通“耶”，疑问语气词。

【原文】

“恩仇分明”，此四字非有道者[①]之言也。“无好人”三字，非有德者之言也。后生[②]戒之。

【注释】

①有道者：通情达理且有道德之人。

②后生：后辈，年轻人。

【原文】

张思叔[①]座右铭曰：凡语必忠信，凡行必笃敬，饮食必慎节，字画必楷正[②]。容貌必端庄，衣冠必肃整[③]，步履必安详，居处必正静。作事必谋始[④]，出言必顾行[⑤]，常德[⑥]必固持，然诺[⑦]必重应[⑧]，见善如己出，见恶如己病。凡此十四者，我皆未深省[⑨]。书此当座隅[⑩]，朝夕视为警。

【注释】

①张思叔：张绎，字思叔，北宋寿安（今属河南）人，程颐弟子。

②楷正：工整，端正。

③肃整：整治，整齐。

④谋始：开始要考虑周全，慎重行事。

⑤顾行：顾全德行。

⑥常德：始终坚守的道德。

⑦然诺：答应，允诺。

⑧重应：给予郑重的回应。

⑨深省（xǐng）：深刻地反省。

⑩座隅（yú）：座位之旁。

【原文】

胡文定公[①]曰：人须是一切世味[②]淡薄方好，不要有富贵相。孟子谓“堂高数仞[③]，食前方丈[④]，侍妾数百人，我得志不为。”学者须先除去此等，常自激昂[⑤]，便不到得坠堕[⑥]。常爱诸葛孔明，当汉末躬耕南阳，不求闻达[⑦]，后来虽应刘先主[⑧]之聘[⑨]，宰割[⑩]山河，三分天下，身都[⑪]将相，手握重兵[⑫]，亦何求不得，何欲不遂？乃与后主[⑬]言：“成都有桑八百株，薄田十五顷，子孙衣食自有余饶。臣身在外，别无调度[⑭]，不别治生[⑮]，以长[⑯]尺寸。若死之日，不使廪有余粟[17]，库有余财，以负陛下[18]。”及卒[19]，果如其言。如此辈人，真可谓大丈夫[20]矣。

【注释】

①胡文定公：胡安国，字康侯，谥文定，南宋崇安（今福建武夷山市）人，学者称其为武夷先生。

②世味：社会人情。

③仞（rèn）：古代计量单位，周制八尺为一仞，汉制七尺为一仞。

④食前方丈：前面一丈见方之地陈列着美味佳肴。

⑤激昂：振奋激励。

⑥坠堕：堕落。

⑦闻达：闻名于世，显达。

⑧刘先生：刘备，字玄德，三国时蜀汉的君主。

⑨聘：礼聘。

⑩宰割：分割，支配。

⑪都：居。

⑫重兵：指军队力量雄厚。

⑬后主：刘禅，刘备之子。

⑭调度：调遣，安排。

⑮治生：营生，经营家业。

⑯长（zhǎng）：扩大，增长。

⑰廪（lǐn）有余粟（sù）：粮仓中贮存着余粮。

⑱陛（bì）下：对君主的尊称。

⑲卒：去世。

⑳大丈夫：有节操，有志气，有作为的男子。

【原文】

胡子[1]曰：今之儒者，移学文艺[2]干[3]仕进之心，以收其放心[4]，而美[5]其身，则何古人之不可及哉！父兄以文艺令其子弟，朋友以仕进相招，往而不返，则心始荒而不治，万事之成，咸[6]不逮[7]古先[8]矣。

【注释】

①胡子：胡宏，字仁仲，号五峰，学者称其五峰先生，胡安国季子，程颢、程颐的再传弟子。

②文艺：文章技艺。

③干：求索，追求。

④放心：放纵之心。

⑤美：使动用法，使……变得美好。

⑥咸：全都，全部。

⑦不逮（dài）：不及，比不上。

⑧古先：古代，往昔。

【原文】

《颜氏家训》曰：夫[1]所以读书学问，本欲开心明目，利于行耳。未知养亲者，欲其观古人之先意承颜，怡声下气②，不惮劬劳③，以致甘腝④，惕然惭惧，起而行之也。未知事君者，欲其观古人之守职无侵，见危授命，不忘诚谏⑤，以利社稷⑥，恻然自念，思欲效之也。素骄奢者，欲其观古人之恭俭节用，卑以自牧，礼为教本，敬者身基，瞿然⑦自失，敛容抑志也。素鄙吝者，欲其观古人之贵义轻财，少私寡欲，忌盈恶满，赒⑧穷恤匮⑨，赧然⑩悔耻，积而能散也。素暴悍⑪者，欲其观古人之小心黜⑫己，齿弊舌存⑬，含垢藏疾，尊贤容众，苶然⑭沮丧，若不胜衣也。素怯懦者，欲其观古人之达生委命，强毅正直，立言必信，求福不回，勃然奋厉，不可恐惧也。历兹以往，百行皆然。纵不能淳，去泰去甚，学之所知，施无不达。世人读书，但能言之，不能行之，武人俗吏所共嗤诋⑮，良由是耳。又有读数十卷书，便自高大，陵忽长者，轻慢同列。人疾之如仇敌，恶之如鸱⑯枭。如此以学求益，今反自损，不如无学也。

【注释】

①夫（fú）：发语词。

②怡（yí）声下气：指侍奉父母时声音要柔和，态度要恭顺。

③不惮劬（qú）劳：不怕辛苦。劬，劳苦，勤劳。

④甘腝（ní）：鲜美柔软的食物。

⑤诚谏（jiàn）忠诚地劝谏。

⑥社稷（jì）：土神和谷神的总称。因古代君主都要祭祀土神和谷神，后来就用社稷代指国家。

⑦瞿（jù）然：惊骇、惊惧的样子。

⑧赒（zhōu）：救济，接济。

⑨恤（xù）匮：救济缺乏。

⑩赧（nǎn）然：羞愧脸红的样子。

⑪暴悍（hàn）：残暴凶悍。

⑫黜（chù）：贬谪，摈除。

⑬齿弊（bì）舌存：牙齿因为坚硬而容易损坏，舌头却因柔软而保存下来。

⑭苶（nié）然：失落颓废的样子。

⑮嗤诋（chī dǐ）：嘲笑诋毁。

⑯鸱（chī）：鹞鹰，生性残暴嚣张。

【原文】

吕舍人①曰：大抵后生为学，先须理会所以为学者何事。一行一住，一语一默②，须要尽合道理。学业则须是严立③课程，不可一日放慢。每日须读一般经书，一般④子书⑤，不须多，只要令精熟。须静室危坐⑥，读取⑦二三百遍，字字句句，须要分明。又每日须连前三五授⑧，通读五七十遍，须令成诵，不可一字放过也。史书每日须读取一卷，或半卷以上，始见功。须是从人[9]授读，疑难处便质问[10]，求古圣贤用心[11]，竭力从之。夫指引者，师之功[12]也。行有不至，从容[13]规戒者，朋友之任也。决意而往，则须用己力，难仰[14]他人矣。

【注释】

①吕舍人：吕本中，官至中书舍人，故称。

②一语一默：说话或是沉默。

③严立：严格规定，严格规范。

④一般：同样，一样。

⑤子书：诸子百家之书。

⑥危坐：坐得端正，以表恭敬。

⑦取：语助词，并无实际意义。

⑧前三五授：之前三五次传授的内容。

⑨从人：跟随师长。

⑩质问：询问。

⑪用心：想法，存心。

⑫功：事，职责。

⑬从容：舒缓。

⑭仰：凭借，仰仗。

【原文】

吕氏[1]《童蒙训》曰：今日记一事，明日记一事，久则自然贯穿[2]。今日辨一理，明日辨一理，久则自然浃洽[3]。今日行一难事，明日行一难事，久则自然坚固。涣然冰释[4]，怡然[5]理顺，久自得之，非偶然也。

【注释】

①吕氏：吕本中。

②贯穿：贯通融合。

③浃洽（jiā qià）：贯通，融洽。

④涣（huàn）然冰释：如同冰遇到热那样顷刻融化，此处引申为疑难很快就消除了。

⑤怡（yí）然：高兴、快乐的样子。

【原文】

前辈尝说：后生才性[1]过人者不足畏，惟读书寻思推究者为可畏耳。又云：读书只怕寻思，盖义理精深，惟寻思用意，为可以得之。卤莽[2]厌烦者，决无有成之理。

【注释】

①才性：才能禀赋。

②卤莽（lǔ mǎng）：粗疏。

【原文】

《颜氏家训》曰：借人典籍[1]，皆须爱护，先有缺坏，就为补治。此亦士大夫百行之一也。济阳江禄[②]读书未竟[③]，虽有急速，必待卷束[④]整齐，然后得起，故无损败，人不厌其求假[⑤]焉。或有狼籍[⑥]几案，分散部帙[⑦]，多为童幼婢妾之所点污[⑧]，风雨虫鼠之所毁伤，实为累德[⑨]。吾每读圣人书，未尝不肃敬对之。其故纸[⑩]有五经词义及圣贤姓名，不敢他用[⑪]也。

【注释】

①典籍：图书，书籍。

②江禄：字彦遐，梁朝济阳（今属河南）人。

③未竟：没有完成。

④卷束：卷起并捆束起来。

⑤假：借。

⑥狼籍：通“狼藉”，乱七八糟，不整洁。

⑦部帙（zhì）：卷册。

⑧点污：弄脏，污损。

⑨累德：有损于德行。

⑩故纸：旧书籍。

⑪他用：其他的用途。

善行第六

【题解】

所谓“善行”，即合乎礼节之行，令后人称赞并可作为行事榜样之行。这部分收集了汉朝以来圣贤之人的善行，用以充实《内篇》中“立教”“明伦”“敬身”所讲述的道理。

实立教

【原文】

吕荥公[1]名希哲，字原明，申国正献公[2]之长子。正献公居家，简重寡默，不以事物经心[3]。而申国夫人性严有法，虽甚爱公，然教公事事循蹈规矩。甫[4]十岁，祁寒[5]暑雨，侍立终日，不命之坐，不敢坐也。日必冠带以见长者。平居虽甚热，在父母长者之侧，不得去巾袜缚袴[6]，衣服唯谨。行步出入，无得入茶肆、酒肆。市井里巷之语，郑卫之音，未尝一经于耳。不正之书，非礼之色，未尝一接于目。正献公通判颍州，欧阳公适知州事。焦先生千之伯强客文忠公所，严毅方正。正献公招延之，使教诸子。诸生小有过差，先生端坐，召与相对，终日竟夕[7]不与之语。诸生恐惧畏服，先生方略降辞色。时公方十余岁，内则正献公与申国夫人教训如此之严，外则焦先生化导如此之笃，故公德器成就大异众人。公尝言："人生内无贤父兄，外无严师友，而能有成者少矣。"

【注释】

①吕荥（xíng）公：吕希哲，字原明，吕公著之子，北宋寿州（今属安徽寿县）人，世称荥阳先生，故亦称"荥公"。

②申国正献公：即吕公著，字晦叔，谥号正献，封申国公，北宋寿州（今属安徽寿县）人。

③经心：放在心上。

④甫（fǔ）：才，仅仅。

⑤祁（qí）寒：大寒，严寒。

⑥缚袴（fù kù）：缠绕捆扎裤管的布幅。

⑦竟夕：整个晚上。

【原文】

吕荥公张夫人，待制讳昷之[1]之幼女也，最钟爱。然居常[2]至微细事，教之必有法度，如饮食之类，饭羹[3]许更益，鱼肉不更进也。时张公已为待制、河北都转运使[4]矣。及夫人嫁吕氏，夫人之母，申国夫人姊[5]也，一日来视女，见舍[6]后有锅釜[7]之类，大不乐，谓申国夫人曰："岂可使小儿辈私作饮食，坏家法[8]耶？"其严如此。

【注释】

①待制讳（huì）昷（wēn）之：张昷之，字景山，北宋广陵（今属江苏扬州）人。讳，讳名，用于尊者的名字前，以表示尊敬。

②居常：平日里。

③羹（gēng）：汤，汤羹。

④都转运使：官职名，总揽一路财政赋税，兼管监察等事务。"路"为宋代的一种行政区划。

⑤姊（zǐ）：姐姐。

⑥舍：房屋。

⑦釜（fǔ）：古代的一种锅。

⑧家法：治家的法度，礼法。

【原文】

唐阳城[1]为国子司业[2]，引诸生而告之曰："凡学者，所以学为忠与孝也。诸生有久不省亲[3]者乎？"

明日，谒[4]城还养[5]者二十辈[6]。有三年不归侍者，斥[7]之。

【注释】

①阳城：字亢宗，唐代定州北平（今属河北）人。

②国子司业：官职名，为国子监的副长官，掌管儒学训导的政事。

③省（xǐng）亲：回家探望父母或其他尊亲。

④谒（yè）：拜见，禀告。

⑤还养：回家侍奉父母。

⑥辈：人。

⑦斥：除名，驱逐。

【原文】

蓝田吕氏[1]《乡约[2]》曰：凡同约者，德业[3]相劝，过失相规，礼俗[4]相交[5]，患难相恤[6]。有善则书于籍[7]，有过若[8]违约者亦书之。三犯[9]而行罚，不悛[10]者绝[11]之。

【注释】

①蓝田吕氏：指吕大中、吕大防、吕大钧、吕大临兄弟四人，皆是陕西蓝田（今属西安）人。

②乡约：乡人共同签订并都要遵守的条约。

③德业：品德功业。

④礼俗：指婚姻、丧葬、祭祀等各种礼仪习俗。

⑤相交：相互来往、帮忙。

⑥恤（xù）：救济，体恤。

⑦籍：书籍，书册。

⑧若：或者。

⑨三犯：接连三次犯错。

⑩悛（quān）：悔改，知错。

⑪绝：开除，除名。

实明伦

【原文】

江革[①]少失父，独与母居。遭天下乱，盗贼并[②]起。革负母逃难，备经险阻，常采拾[③]以为养。数遇贼，或劫[④]欲将去，革辄[⑤]涕泣哀求[⑥]，言有老母，辞气愿款[⑦]，有足感动人者。贼以是不忍杀之，或乃指避兵之方，遂得俱全于难。转客[⑧]下邳[⑨]，贫穷裸跣[⑩]，行佣[⑪]以供母，便身[⑫]之物，莫不毕给[⑬]。

【注释】

①江革：字次翁，东汉临淄（今属山东）人，事母至孝。

②并：同时，一起。

③采拾：采摘拾取。

④劫（jié）：劫持，胁迫。

⑤辄（zhé）：总是，每次。

⑥哀求：向人求助，求人哀怜。

⑦愿款：诚挚。

⑧转客：辗转漂泊，客居。

⑨下邳（pī）：地名，今江苏省睢（suī）宁县古邳县。

⑩裸跣（xiǎn）：裸露上身，赤着脚。

⑪行佣（yōng）：做佣工。

⑫便身：方便安身。

⑬毕给（jǐ）：全部充足。

【原文】

薛包[1]好学笃行[2]，父娶后妻而憎包，分出之。包日夜号泣，不能去，至被殴杖[3]。不得已，庐[4]于舍外，旦入而洒扫。父怒，又逐之。乃庐于里门[5]，晨昏[6]不废。积岁余，父母惭而还之。后服丧[7]过哀。既而弟子[8]求分财异居[9]，包不能止，乃中分[10]其财。奴婢引其老者，曰："与我共事久，若[11]不能使也。"田庐取其荒顿[12]者，曰："吾少时所理，意所恋也。"器物取其朽败者，曰："我素所服食[13]，身口所安也。"弟子数破其产[14]，辄复赈给[15]。

【注释】

①薛包：东汉汝南（今属河南）人，因孝顺父母而闻名。

②笃（dǔ）行：行为笃厚踏实。

③殴杖：用杖棍殴打。

④庐：建造小屋。

⑤里门：里巷之门。

⑥晨昏：此处指朝夕问安侍奉。

⑦服丧：身穿孝服守丧。

⑧弟子：此处指弟弟和侄子。

⑨异居：分开居住。

⑩中分：平均分配。

⑪若：你。

⑫荒顿：荒废。

⑬服食：吃穿。

⑭破其产：丧失了家产。

⑮赈给（zhèn jǐ）：救济施与。

【原文】

王祥[①]性孝，蚤[②]丧亲。继母朱氏不慈，数谮[③]之，由是失爱于父，每使扫除牛下[④]，祥愈恭谨。父母有疾，衣不解带[⑤]，汤药必亲尝。母尝欲生鱼，时天寒冰冻，祥解衣将剖[⑥]冰求之，冰忽自解，双鲤跃出，持之而归。母又思黄雀炙[⑦]，复有雀数十飞入其幕，复以供母。乡里惊叹，以为孝感所致。有丹柰[⑧]结实，母命守之，每风雨，祥辄抱树而泣。其笃孝纯至[⑨]如此。

【注释】

①王祥：字休征，晋临沂（今属山东）人，事后母极孝。

②蚤（zǎo）：通“早”，早年，以前。

③数谮（shuò zèn）：多次说别人的坏话。谮，诬陷，背地里说坏话。

④牛下：牛的排泄物。

⑤衣不解带：不脱外衣就睡觉，形容侍奉父母极其用心。

⑥剖（pōu）：破开。

⑦炙（zhì）：用火烤。

⑧柰（nài）：沙果的一种，通称柰子。

⑨纯至：纯粹之至。

【原文】

晋西河人王延[①]事亲色养[②]，夏则扇枕席，冬则以身温被。隆冬盛寒，体常无全衣，而亲极滋味[③]。

【注释】

①王延：字延元，晋西河（今山西临汾）人，以孝闻。

②色养：和颜悦色地伺候父母。

③滋味：美味。

【原文】

海虞[①]令何子平[②]，母丧去官，哀毁[③]逾[④]礼，每哭踊[⑤]，顿绝方苏。属[⑥]大明[⑦]末，东土饥荒，继以师旅，八年不得营葬。昼夜号哭，常如袒括[⑧]之日。冬不衣絮[⑨]，夏不就清凉，一日以米数合[⑩]为粥，不进盐菜。所居屋败，不蔽风日。兄子伯兴欲为葺[⑪]理，子平不肯，曰："我情事未申，天地一罪人耳，屋何宜覆！"蔡兴宗为会稽太守，甚加矜赏，为营冢圹[⑫]。

【注释】

①海虞：地名，今江苏常熟。

②何子平：南朝宋代庐江灊（qián）县（今安徽霍山）人。

③哀毁：居亲丧太过悲痛而使身体毁坏。

④逾（yú）：超越，超过。

⑤哭踊：一种丧礼的仪节，边哭边顿足。

⑥属（zhǔ）：刚好遇到。

⑦大明：南朝宋孝武帝刘骏的年号。

⑧袒（tǎn）括：古人父母初丧时的一种礼仪，即脱衣露臂，免冠束发。

⑨衣（yì）絮：穿上棉衣。

⑩合（gě）：计量单位，一升的十分之一是一合。

⑪葺（qì）：修理。

⑫冢圹（zhǒng kuàng）：坟墓，墓穴。

【原文】

朱寿昌①生七岁，父守雍②，出③其母刘氏，嫁民间，母子不相知者五十年。寿昌行四方，求之不已。饮食罕御酒肉，与人言辄④流涕。熙宁⑤初，弃官入秦⑥，与家人诀⑦，誓不见母不复还。行次⑧同州⑨，得焉，刘氏时年七十余矣。雍守钱明逸⑩以事闻⑪，诏⑫寿昌还就官⑬，由是天下皆知其孝。寿昌再为郡守，至是以母故通判河中府⑭，迎其同母弟妹以归。居数岁，母卒，涕泣几丧明⑮。拊⑯其弟妹益笃，为买田宅居之。其于宗族尤尽恩意，嫁兄弟之孤女二人，葬其不能葬者十余丧⑰。盖其天性如此。

【注释】

①朱寿昌：字康叔，宋代扬州天长县（今属江苏）人。

②守雍（yōng）：做雍州的太守。雍州在今陕西西安附近。

③出：休妻。

④辄（zhé）：总是，就是。

⑤熙宁：宋神宗年号。

⑥秦：陕西。

⑦诀（jué）：辞别，告别。

⑧行次：行走到达。

⑨同州：今陕西大荔。

⑩钱明逸：字子飞，宋杭州临安（今浙江杭州）人。

⑪以事闻：将这件事报告给朝廷。

⑫诏（zhào）：君主所发的文书命令。

⑬还就官：重新担任官职。

⑭通判河中府：于河中府担任通判。通判，官职名，州府的次官。

⑮几丧明：几乎失明。

⑯拊（fǔ）：通“抚”，抚慰，抚育。

⑰丧（sāng）：灵柩。

【原文】

李君行[1]先生名潜，虔州人。入京师，至泗州[2]，留止。其子弟请先往，君行问其故，曰：“科场[3]近，欲先至京师，贯[4]开封[5]户籍取应[6]。”君行不许。曰：“汝虔州人而贯开封户籍，欲求事君而先欺君，可乎？宁迟缓数年，不可行也。”

【注释】

①李君行：李潜，字君行，北宋虔州（今江西赣州）人。

②泗（sì）州：古地名，今安徽泗县一带。

③科场：科举考试。

④贯：登记入籍。

⑤开封：北宋都城。

⑥取应：参加科举考试。

【原文】

刘器之①待制初登科，与二同年②谒③张观④参政⑤。三人同起身请教，张曰："某⑥自守官以来，常持四字：勤、谨、和、缓。"中间一后生⑦应声曰："勤、谨、和，则闻命⑧矣，缓之一字，某所未闻。"张正色⑨作气⑩曰："何尝教贤⑪缓不及事？且道世间甚事，不因忙后错了？"

【注释】

①刘器之：刘安世，字器之，号元城，北宋大名（今属河北）人。司马光弟子。

②同年：科举考试中同一科登第之人的互称。

③谒（yè）：晋见，拜见。

④张观：字思正，北宋绛州绛县（今属山西）人。

⑤参政：官职名，为宰相副职，参知政事之简称。

⑥某：谦词，自称。

⑦后生：年轻人。

⑧闻命：接受劝导。

⑨正色：神色端正严肃。

⑩作气：振作语气。

⑪贤：此处指一种敬称，指前辈对晚辈的称呼。

【原文】

吕荥公[①]自少守官[②]处，未尝干[③]人举荐。其子舜从[④]，守官会稽，人或讥其不求知者，舜从对曰："勤于职事[⑤]，其他不敢不慎，乃所以求知也。"

【注释】

①吕荥公：吕希哲。

②守官：历任各种官职。

③干：请求。

④舜从：吕译文，字舜从，吕希哲之子。

⑤职事：职务范围内的政事。

【原文】

汉陈孝妇[①]年十六而嫁，未有子。其夫当行戍[②]，且[③]行时，属[④]孝妇曰："我生死未可知，幸[⑤]有老母，无他兄弟备养。吾不还，汝肯养吾母乎？"妇应曰："诺。"夫果死不还。妇养姑[6]不衰，慈爱愈固[7]，纺绩织纴[8]，以为家业，终无嫁意。居丧三年，其父母哀其少无子而早寡也，将取嫁之。孝妇曰："夫去时属妾以供养老母，妾既许诺之。夫养人老母而不能卒，许人以诺而不能信，将何以立于世？"欲自杀。其父母惧而不敢嫁也，遂使养其姑二十八年。姑八十余以天年[9]终，尽卖其田宅财物以葬之，终奉祭祀。淮阳太守以闻[10]，使使者赐黄金四十斤，复[11]之终身，无所与[12]，号曰"孝妇"。

【注释】

①陈孝妇：东汉时陈县（今河南淮阳）人。

②行戍（shù）：戍边行役。

③且：将要，即将。

④属（zhǔ）：通"嘱"，嘱托，叮嘱。

⑤幸：此处指感受到怜悯之心。

⑥姑：婆婆。

⑦愈固：越来越坚固，即更加坚定。

⑧纺绩织纴（rèn）：纺丝绩麻，织成布匹。

⑨天年：自然寿命。

⑩以闻：将陈孝妇的事情汇报给朝廷。

⑪复：免除。

⑫无所与（yù）：终生不再参与任何劳役。

【原文】

唐郑义宗妻卢氏①，略涉书史，事舅姑②甚得妇道③。尝夜有强盗数十，持杖④鼓噪⑤，逾垣⑥而入。家人悉奔窜，唯有姑自在室。卢冒白刃⑦，往至姑侧，为贼捶击⑧几⑨死。贼去后，家人问何独不惧，卢氏曰："人所以异于禽兽者，以其有仁义也。邻里有急，尚相赴救，况在于姑，而可委弃乎？若万一危祸，岂宜独生？"

【注释】

①卢氏：唐代幽州范阳（今北京西南一带）人。

②舅姑：公公和婆婆。

③妇道：妇女应该遵守的道德规范。

④持杖：手里拿着武器。杖，武器。

⑤鼓噪：喧闹，喧嚣。

⑥逾垣（yuán）：翻过院墙。

⑦白刃：锋利的刀剑。

⑧捶击：用棍棒击打。

⑨几（jī）：几乎，险些。

【原文】

苏琼①除②南清河③太守，有百姓乙普明兄弟争田，积年④不断，各相援据⑤，乃至百人。琼召普明兄弟，谕[⑥]之曰："天下难得者兄弟，易求者田地，假令得田地，失兄弟，心如何？"因而下泪。诸证人莫不洒泣。普明兄弟叩头，乞[⑦]外更思[⑧]。分异十年，遂还同住。

【注释】

①苏琼：字珍之，北齐武强（今属河北）人。

②除：任命。

③南清河：古郡名，今山东高唐县一带。

④积年：多年。

⑤援据：援引证人。

⑥谕（yù）：告诉，让他人知道、明白，一般用于尊者对下者。

⑦乞：请求到外面。

⑧更思：重新思索、考虑。

【原文】

王祥弟览[①]，母朱氏遇[②]祥无道[③]，览年数岁，见祥被楚挞[④]，辄涕泣抱持。至于成童[⑤]，每谏其母，其母少止凶虐[⑥]。朱屡以非理使祥，览与祥俱。又虐使祥妻，览妻亦趋而共之[⑦]。朱患[⑧]之，乃止。

【注释】

①览：王览，字玄通，王祥同父异母的弟弟。

②遇：对待。

③无道：不合乎礼义人情。

④楚挞（tà）：鞭打，拷打。

⑤成童：年龄稍微大一些的儿童。

⑥少止凶虐：稍微停止施行暴虐。

⑦趋而共之：跑过去一同承受。

⑧患：忧患，忧虑。

【原文】

晋咸宁①中大疫，庾衮②二兄俱亡，次兄毗③复危殆④，疠气⑤方炽⑥，父母诸弟皆出，次⑦于外，衮独留不去。诸父兄强⑧之，乃曰："衮性不畏病。"遂亲自扶持，昼夜不眠，其间复抚柩⑨哀临不辍⑩。如此十有余旬⑪，疫势既歇，家人乃反⑫。毗病得差⑬，衮亦无恙⑭。父老⑮咸⑯曰："异哉此子。守人所不能守，行人所不能行。岁寒然后知松柏之后凋⑰，始知疫疠之不能相染也。"

【注释】

①咸宁：晋武帝年号。

②庾衮（yǔ gǔn）：字叔褒，晋鄢（yān）陵（今属河南）人。

③毗（pí）：此处指庾衮的哥哥庾毗。

④危殆（dài）：身患重病，濒临死亡。

⑤疠（lì）气：戾气，具有传染性的致病邪气。

⑥炽（chì）：旺盛，猛烈。

⑦次：住宿。

⑧强（qiǎng）：强迫，逼迫。

⑨柩（jiù）：棺材。

⑩辍（chuò）：停止。

⑪十有余旬：即一百多天。有，通“又”。旬，十天为一旬。

⑫反：通“返”，回来。

⑬差（chài）：通“瘥”，病情有所好转。

⑭无恙（yàng）：没有疾病。

⑮父老：同乡的老者。

⑯咸：都，全。

⑰凋（diāo）：衰落，颓败。

【原文】

隋吏部尚书[1]牛弘[2]弟弼[3]，好酒而酗[4]。尝醉，射杀弘驾车牛。弘还宅，其妻迎谓弘曰：“叔射杀牛。”弘闻，无所怪问，直答曰：“作脯[5]。”坐定，其妻又曰：“叔射杀牛，大是异事[6]。”弘曰：“已知。”颜色自若，读书不辍[7]。

【注释】

①吏部尚书：官职名，主管一国官吏选任的最高长官。

②牛弘：字里仁，隋朝安定鹑觚（今甘肃平凉）人。

③弼（bì）：牛弘的弟弟牛弼。

④酗（xù）：毫无节制地饮酒，且酒后撒泼。

⑤脯（fǔ）：果肉，肉干。

⑥大是异事：这真是件怪事。

⑦辍（chuò）：停止。

【原文】

唐英公李勣①，贵为仆射②。其姊病，必亲为然③火煮粥。火焚其须，姊曰："仆妾多矣，何为自苦④如此？"勣曰："岂为无人耶？顾⑤今姊年老，勣亦老，虽欲数⑥为姊煮粥，复可得乎？"

【注释】

①英公李勣（jì）：即徐世勣，字懋功。唐高祖李渊赐其李姓，后避唐太宗李世民讳改名为李勣，曹州离狐（今山东菏泽东明）人。

②仆射（yè）：唐太宗时仆射即宰相。

③然：通"燃"，点燃。

④自苦：自寻烦恼。

⑤顾：只不过。

⑥数（shuò）：屡次，多次。

【原文】

司马温公[①]与其兄伯康[②]友爱尤笃，伯康年将八十，公奉之如严父，保之如婴儿。每食少顷[③]，则问曰："得无[④]饥乎？"天少冷[⑤]，则拊[⑥]其背曰："衣得无薄乎？"

【注释】

①司马温公：司马光。

②伯康：司马旦，字伯康，司马池之子，司马光之兄。

③少顷（qǐng）：片刻，一会儿。

④得无：莫非，是不是。

⑤少冷：稍微寒冷。

⑥拊：同"抚"，抚摸。

【原文】

包孝肃公[①]尹京[②]时，民有自言："以白金[③]百两寄我者死矣，予其子，不肯受，愿召其子予之。"尹召其子，辞曰："亡父未尝以白金委[④]人也。"两人相让久之。吕荥公[⑤]闻之曰："世人喜言'无好人'三字者，可谓自贼[⑥]者矣。古人言人皆可以为尧舜，盖观于此而知之。"

【注释】

①包孝肃公：包拯，字希仁，谥号孝肃，北宋庐州（今安徽合肥）人。

②尹京：任职京兆尹，即北宋京师开封府长官。

③白金：银子。

④委：寄托，委托。

⑤吕荥公：吕希哲。

⑥自贼：自我戕害。贼，伤害。

【原文】

庞公[①]未尝入城府[②]，夫妻相敬如宾[③]。刘表[④]候之，庞公释耕[⑤]于垄[⑥]上，而妻子耘[⑦]于前。表指而问曰："先生苦居畎亩[⑧]，而不肯官禄，后世何以遗子孙乎？"庞公曰："世人皆遗之以危，今独遗之以安。虽所遗不同，未为无所遗[⑨]也。"表叹息而去。

【注释】

①庞公：字德以，东汉襄阳（今属湖北）人。

②城府：一城之内官府所在之地。

③相敬如宾：指夫妻之间彼此尊敬，相互爱护，像对待宾客一样。

④刘表：字景升，东汉山阳郡高平（今属山西）人，汉室宗亲。

⑤释耕：不再耕地，停止耕作。

⑥垄（lǒng）：田埂。

⑦耘（yún）：除草。

⑧苦居畎（quán）亩：辛苦地在田间劳作，以谋生计。

⑨遗（wèi）：送给，传给。

【原文】

陶渊明①为彭泽令②，不以家累③自随。送一力④给其子，书曰："汝旦夕之费⑤，自给⑥为难。今遣此力，助汝薪水⑦之劳。此亦人子⑧也，可善遇⑨之。"

【注释】

①陶渊明：一名潜，字元亮，东晋浔阳柴桑（今江西九江西南）人。

②彭泽令：彭泽（今江西九江彭泽县）县的县令。

③家累：家属，家眷。

④力：奴役，仆役。

⑤旦夕之费：一天之内的花费。

⑥自给（jǐ）：自己供养自己。

⑦薪（xīn）水：指日常的劳作，如砍柴、汲水等。

⑧人子：别人的儿子。

⑨善遇：礼遇，好好对待。

【原文】

张公艺[①]九世同居，北齐、隋、唐皆旌表[②]其门。麟德[③]中，高宗[④]封泰山[⑤]，幸[⑥]其宅，召见公艺，问其所以能睦族[⑦]之道。公艺请纸笔以对，乃书“忍”字百余以进。其意以为宗族所以不协，由尊长衣食或有不均，卑幼礼节或有不备，更相责望[⑧]，遂为乖争[⑨]。苟能相与忍之，则家道雍睦[⑩]矣。

【注释】

①张公艺：唐代郓（yùn）州寿张（今属山东东平县）人。

②旌（jīng）表：表彰。

③麟（lín）德：唐高宗年号。

④高宗：唐高宗李治。

⑤封泰山：到泰山祭天。封，筑土为坛以祭天。

⑥幸：古时帝王到某处称为幸。

⑦睦族：使亲族和睦相处。

⑧责望：责怪埋怨。

⑨乖（guāi）争：纷争，纠纷。

⑩雍（yōng）睦：和睦，和谐。

实敬身

【原文】

或问第五伦[1]曰："公有私乎？"对曰："昔人有与吾千里马者，吾虽不受，每三公[2]有所选举，心不能忘，而亦终不用也。吾兄子尝病，一夜十往，退而安寝[3]。吾子有疾，虽不省[4]视，而竟夕不眠。若是[5]者，岂可谓无私乎？"

【注释】

①第五伦：姓第五，名伦，字伯鱼，东汉京兆长陵（今陕西咸阳）人。

②三公：东汉时以太尉、司徒、司空为三公，是中央最高的三种官衔名。

③安寝（qǐn）：睡得安稳。

④省（xǐng）：探望，看望。

⑤是：这，这样。

【原文】

刘宽[1]虽居仓卒[2]，未尝疾言遽色[3]。夫人欲试宽，令恚[4]，伺[5]当朝会[6]，装严[7]已讫，使侍婢奉肉羹[8]，翻污朝衣[9]，婢遽收之，宽神色不异，乃徐言[10]

曰：“羹烂汝手乎？”其性度[11]如此。

【注释】

①刘宽：字文饶，东汉弘农华阴（今陕西华阴）人。

②仓卒（cù）：急迫，匆忙。

③疾言遽（jù）色：言语粗暴，神色急躁。遽，急忙，急躁。

④恚（huì）：发怒，怨恨。

⑤伺（sì）：等候，等待。

⑥朝会：觐见君主。

⑦装严：穿着装束整齐端正。

⑧肉羹：用肉做成的汤。

⑨朝衣：上朝所穿的服饰。

⑩徐言：慢慢地说。

⑪性度：性情气度。

【原文】

杨震[1]所举荆州[2]茂才[3]王密为昌邑[4]令，谒见[5]，怀金十斤以遗[6]震。震曰：“故人[7]知君，君不知故人，何也？”密曰：“莫[8]夜无知者。”震曰：“天知神知，我知子知，何谓无知？”密愧而去。

【注释】

①杨震：字伯起，东汉弘农华阴（今陕西华阴）人。

②荆州：东汉时荆州治所在今湖南汉寿县北部。

③茂才：秀才，因避光武帝刘秀名讳，所以改秀才为茂才。

④昌邑：今山东巨野和金乡境内。

⑤谒（yè）见：拜见，晋见。

⑥遗（wèi）：赠给，传给。

⑦故人：自称。

⑧莫（mù）：通“暮”，夜晚。

【原文】

茅容①与等辈②避雨树下，众皆夷踞③相对，容独危坐愈恭。郭林宗④行见之，而奇其异⑤，遂与共言，因请寓宿⑥。旦日⑦，容杀鸡为馔⑧，林宗谓为己设，既而供其母，自以草蔬⑨与客同饭。林宗起，拜之曰：“卿⑩贤乎哉。”因劝令学，卒以成德。

【注释】

①茅容：字季伟，东汉陈留（今属河南开封）人。

②等辈：同辈。

③夷踞（jù）：是一种不拘礼节的坐姿，即两腿伸开坐在地上。

④郭林宗：郭泰，字林宗，东汉并州太原界休（今属山西）人。

⑤奇其异：对他的与众不同感到极其惊讶。

⑥寓宿：借宿，寄宿。

⑦旦日：第二天。

⑧馔（zhuàn）：食物。

⑨草蔬：粗疏的饭菜。

⑩卿（qīng）：古时长者对晚辈，上级对下级的称呼。

【原文】

柳玭[1]曰：王相国涯[2]方居相位，掌利权[3]。窦氏女[4]归，请曰："玉工货一钗，奇巧，须七十万钱。"王曰："七十万钱，我一月俸金耳，岂于女[5]惜，但一钗七十万，此妖物[6]，必与祸相随。"女子不复敢言。数月，女自婚姻会归，告王曰："前时钗，为冯外郎妻首饰矣。"乃冯球也。王叹曰："冯为郎吏，妻之首饰有七十万钱，其可久乎？"冯为贾相餗[7]门人，最密。贾有苍头[8]，颇张威福，冯召而勖[9]之。未浃旬[10]，冯晨谒贾，有二青衣捧地黄酒出饮之，食顷而终。贾为出涕，竟不知其由。又明年，王、贾皆遘祸[11]。噫！王以珍玩奇货为物之妖，信知言矣。徒知物之妖，而不知恩权隆赫[12]之妖甚于物耶！冯以卑位贪宝货，已不能正其家，尽忠所事而不能保其身，斯亦不足言矣。贾之臧获[13]害门客于墙庑[14]之间而不知，欲终始富贵，其可得乎？此虽一事，作戒数端。

【注释】

①柳玭（pín）：字直清，唐代京兆华原（今陕西耀县）人。

②王相国涯：王涯，字广津，唐代太原人。

③掌利权：王涯任吏部尚书而掌管盐铁事务，掌握着国家财政大权。

④窦（dòu）氏女：指王涯嫁到窦家的女儿。

⑤女（rǔ）：通“汝”，你。

⑥妖物：不祥的东西。

⑦贾相𫗧（sù）：贾𫗧，字子美，唐代河南府（今河南洛阳）人，文宗年间曾拜相。

⑧苍头：奴仆，奴婢。

⑨勖（xù）：本意为勉强，此处引申为委婉地劝谏、劝勉。

⑩浃（jiā）旬：十天。

⑪遘（gòu）祸：遭到祸患。

⑫隆赫（hè）：显赫，显贵。

⑬臧（zāng）获：古代对奴婢的贱称。

⑭墙庑（wǔ）：指家里。庑，堂下周围的走廊、廊屋。

【原文】

王文正公[1]发解[2]、南省[3]、廷试[4]皆为首冠[5]，或戏[6]之曰：“状元试三场，一生吃着[7]不尽。”公正色曰："曾[8]平生之志，不在温饱。"

【注释】

①王文正公：王曾，字孝先，宋代青州艺都（今属山东）人。

②发解（jiè）：唐宋时，应贡举合格者，谓之选人，由所在州郡发遣解送至京城参加礼部会试，称"发解"。

③南省：唐尚书省的别称。中书、门下、尚书三省皆在大内之南，而尚书省的位置更在其他两省之南，故称"南省"。此处指由隶属尚书省的礼部举行的会试。

④廷试：科举制度，会试中式后，由皇帝亲自策问，在殿堂上举行的考试，又称"殿试"。

⑤首冠（guān）：第一。

⑥戏：开玩笑。

⑦吃着（zhuó）：吃穿。

⑧曾：王曾的自称。

【原文】

范文正公[1]少有大节[2]，其于富贵贫贱、毁誉[3]欢戚[4]，不一动其心，而慨然[5]有志于天下。尝自诵[6]曰："士当先天下之忧而忧，后天下之乐而乐也。"其事上[7]遇[8]人，一以自信[9]，不择利害为趋[10]舍。其有所为，必尽其方[11]。曰："为之自我者，当如是[12]。

其成与否，有不在我者，虽圣贤不能必[13]，吾岂苟[14]哉？”

【注释】

①范文正公：范仲淹。

②大节：高远宏大的志向。

③毁誉：诋毁与赞誉。

④欢戚：欢乐与悲戚。

⑤慨（kǎi）然：慷慨激昂的样子。

⑥诵：讲述，诉说。

⑦事上：侍奉君主。

⑧遇：对待。

⑨一以自信：完全按照自己遵守的正道做事。

⑩趋（qǔ）：通“取”。

⑪必尽其方：竭尽全力践行正道。

⑫当如是：就该如此。

⑬必：一定，肯定。

⑭苟：苟且。

【原文】

司马温公[1]尝言：吾无过人[2]者，但[3]平生所为，未尝有不可对人言者耳。

【注释】

①司马温公：司马光。

②过人：超过别人，强于别人。

③但：只是。

【原文】

吕正献公[①]自少讲学，即以治心[②]养性[③]为本。寡[④]嗜欲[⑤]，薄滋味，无疾言遽色[⑥]，无窘步[⑦]，无惰容[⑧]。凡嬉笑俚近[⑨]之语，未尝出诸口。于世利纷华，声伎[⑩]游宴，以至于博奕[⑪]奇玩，淡然[⑫]无所好。

【注释】

①吕正献公：吕公著。

②治心：收束心志。

③养性：涵养天性。

④寡：不追求。

⑤嗜（shì）欲：嗜好和欲望。

⑥疾言遽（jù）色：言语粗暴，神色急躁。

⑦窘（jiǒng）步：窘急，步履匆忙。

⑧惰（duò）容：神情懒散，萎靡不振。

⑨俚（lǐ）近：通俗浅近。

⑩声伎（jì）：舞女歌姬。

⑪博奕（yì）：赌博和围棋。

⑫淡然：淡漠，不放在心上。

【原文】

明道先生[①]作字[②]时甚敬，尝谓人曰：非欲字好，即此是学。

【注释】

①明道先生：程颢。

②作字：写字。

【原文】

刘公[①]见宾客，谈论逾时[②]，体无欹侧[③]，肩背竦直[④]，身不少动，至手足亦不移。

【注释】

①刘公：刘世安，北宋魏（今河北大名）人。

②逾时：超过两个小时。

③欹（qī）侧：倾斜，歪斜。

④竦（sǒng）直：挺直。

【原文】

徐积仲车[①]初从安定胡先生[②]学，潜心力行[③]，不复仕进。其学以至诚为本，事母至孝。自言："初见安定先生，退，头容少偏。安定忽厉声云：'头容直[④]！'某因自思，不独头容直，心亦要直也。自此不敢有邪心。"卒谥节孝先生。

【注释】

①徐积仲车：徐积，字仲车。

②安定胡先生：胡瑗，字翼之，北宋泰州海陵（今江苏泰州）人。世居陕西路安定堡（今陕西子长县），创立理学安定学派，世称“安定先生”。

③潜心力行：专心学习，努力践行。

④头容直：头的姿势端正而不歪斜。

【原文】

柳玭[①]曰：高侍郎[②]兄弟三人，俱居清列[③]，非速[④]客不二羹胾[⑤]。夕食，龁[⑥]卜匏[⑦]而已。

【注释】

①柳玭：字直清，唐京兆华原（今陕西耀县）人。

②高侍郎：高锴（kǎi），唐代人。

③清列：高官。

④速：招致，邀请。

⑤羹胾（gēng zì）：羹汤和大块肉。胾，切成大块的肉。

⑥龁（hé）：吃，咬。

⑦卜匏（páo）：萝卜和葫芦。

【原文】

李文靖公[①]治居第[②]于封邱[③]门外，厅事[④]前仅容旋马[5]。或言其太隘[6]，公笑曰："居第当传子孙。此为宰辅[7]厅事诚隘，为太祝、奉礼厅事则已宽矣。"

【注释】

①李文靖公：李沆（hàng），字太初，谥文靖，北宋洺州肥乡（今属河北）人。

②居第：住宅。

③封邱：北宋都城城门的名称。

④厅事：厅堂，此处指私人住宅里的厅堂。

⑤旋马：调转马头。

⑥隘（ài）：狭窄，逼仄。

⑦宰辅：这里指宰相。

【原文】

张文节公[1]为相，自奉[2]如河阳掌书记[3]时。所亲或规之曰："今公受俸不少，而自奉若此，虽自信清约[4]，外人颇有公孙布被[5]之讥。公宜少从众[6]。"公叹曰："吾今日之俸，虽举家[7]锦衣玉食，何患不能？顾人之常情，由俭入奢易，由奢入俭难。吾今日之俸岂能常有，身岂能常存？一旦异于今日，家人习奢已久，不能顿俭，必至失所[8]。岂若吾居位去位、身存身亡，如一日乎？"

【注释】

①张文节公：张知白，字用晦，一字端甫，谥文节，北宋清池（今河北沧州）人。

②自奉：自己平时生活的供养。

③河阳掌书记：任职河阳节度判官。

④清约：清廉节约。

⑤公孙布被：汉代公孙弘被任命为丞相，生活却非常节俭，只盖布被子，每顿饭只吃一个肉菜。

⑥从众：服从大多数人的意见。

⑦举家：全家。

⑧失所：失去容身之所。

【原文】

温公[1]曰：先公[2]为群牧判官[3]，客至，未尝不置酒[4]。或三行[5]，或五行，不过七行。酒沽[6]于市，果止梨、栗、枣、柿，肴[7]止于脯[8]、醢[9]、菜羹[10]，器用瓷漆[11]。当时士大夫皆然，人不相非[12]也。会数而礼勤[13]，物薄而情厚。近日士大夫家，酒非内法[14]，果非远方珍异，食非多品，器皿[15]非满案，不敢会宾友。常数日营聚[16]，然后敢发书[17]。苟[18]或不然，人争非之，以为鄙吝[19]，故不随俗[20]奢靡[21]者鲜矣。嗟乎！风俗颓弊如是，居位者虽不能禁，忍助之乎？

【注释】

①温公：即司马光。

②先公：去世的父亲。此处指司马光之父司马池。

③群牧判官：官职名，掌管国家公用之马匹。

④置酒：摆设酒宴。

⑤行：即巡，按次序斟酒一次，称为一巡。

⑥沽（gū）：买。

⑦肴（yáo）：做熟的鱼肉等。

⑧脯（fǔ）：肉干。

⑨醢（hǎi）：肉酱。

⑩菜羹（gēng）：用蔬菜做成的汤羹。

⑪瓷漆：陶瓷和漆器。

⑫非：批评，责怪。

⑬会数（shuò）而礼勤：多次相聚，并且礼节殷勤周到。

⑭内法：宫廷内酿酒的独特方法。

⑮皿（mǐn）：诸如碗、碟、杯、盘之类的器具统称。

⑯营聚：操持准备。

⑰书：请帖。

⑱苟：如果，假使。

⑲鄙吝：吝啬，过分爱惜财物。

⑳随俗：顺应习俗。

㉑奢靡（shē mí）：奢侈浪费。

【原文】

温公[1]曰：吾家本寒族[2]，世以清白相承。吾性不喜华靡[3]，自为乳儿[4]时，长者加以金银华美之服，辄羞赧[5]弃去之。年二十忝[6]科名。闻喜宴[7]独不戴花。同年[8]曰：君赐，不可违也。乃簪[9]一花。平生衣取蔽寒，食取充腹[10]。亦不敢服垢敝[11]以矫俗干名[12]，但顺吾性而已。

【注释】

①温公：司马光。

②寒族：寒微之家族。

③华靡（mí）：奢华奢靡。

④乳儿：小孩。

⑤赧（nǎn）：因羞愧而脸红。

⑥忝：常用作自谦词，有愧于。

⑦闻喜宴：唐朝制度，进士中式后，凑钱宴乐于曲江亭子，称曲江宴，亦称闻喜宴。

⑧同年：科举考试中同科登第之人的互称。

⑨簪（zān）：戴，插。

⑩充腹：吃饱，填饱肚子。

⑪服垢敝（gòu bì）：穿着破旧的衣服。

⑫矫俗干名：有心违背世俗而立异，以求取名声。

【原文】

汪信民[①]尝言："人常咬得菜根，则百事可做。"胡康侯[②]闻之，击节[③]叹赏。

【注释】

①汪信民：江革，字信民，北宋临川（今江西抚州）人。

②胡康侯：胡安国。

③击节：打节拍。

朱子治家格言

〔清〕朱柏庐 著

【原文】

黎明即起，洒扫庭除[①]，要内外整洁。既昏便息，关[②]锁门户，必亲自检点。一粥一饭，当思来处不易；半丝半缕，恒念物力维艰[③]。宜未雨而绸缪[④]，毋临渴而掘井。自奉必须俭约，宴客切勿留连。器具质而洁，瓦缶[⑤]胜金玉。饮食约而精，园蔬愈珍馐[⑥]。勿营华屋，勿谋良田。

【注释】

①庭除：庭院与台阶。

②关：门闩。

③恒念物力维艰：时常记住生产每一件东西是如何艰难。

④宜未雨而绸缪（chóu móu）：天还未下雨，就先把门窗修好，比喻提前做好准备。绸缪，修补。

⑤瓦缶（fǒu）：一种瓦器，小口大肚。

⑥珍馐（xiū）：美食。

【原文】

三姑[①]六婆[②]，实淫盗之媒；婢美妾娇，非闺房之福。奴仆勿用俊美，妻妾切忌艳妆。祖宗虽远，祭祀不可不诚。子孙虽愚，经书不可不读。居身务期质朴，教子要有义方[③]。勿贪意外之财，勿饮过量之酒。

【注释】

①三姑：尼姑、道姑和卦姑。

②六婆：牙婆、媒婆、师婆、虔婆、药婆和稳婆。

③义方：行事应遵守的道德与规范，此处指儒家纲常伦理。

【原文】

与肩挑贸易，勿占便宜；见贫苦亲邻，须多温恤。刻薄成家，理无久享。伦常乖舛[①]，立见消亡。兄弟叔侄，须分多润寡[②]。长幼内外，宜法肃辞严。听妇言，乖骨肉，岂是丈夫？重资财，薄父母，不成人子。嫁女择佳婿，毋索重聘。娶媳求淑女，毋计厚奁[③]。

【注释】

①乖舛（chuǎn）：违背，背离。

②分多润寡：把多余的财富匀出一部分，分给财富少的人。

③厚奁（lián）：丰厚的嫁妆。

【原文】

见富贵而生谗容[①]者，最可耻。遇贫穷而作骄态者，贱莫甚。居家戒争讼，讼则终凶。处世戒多言，言多必失。毋恃势力而凌逼孤寡，勿贪口腹而恣杀牲禽。乖僻自是[②]，悔误必多。颓惰自甘[③]，家道难成。狎昵[④]恶少，久必受其累。屈志老成，急则可相依。轻听发言，安知非人之谮诉[⑤]，当忍耐三思。因事相争，安知非我之不是？须平心暗想。

【注释】

①谗容：谄媚讨好的样子。

②乖僻自是：行为乖戾却自以为是。

③颓惰自甘：颓废懒惰，不求上进，却自得其乐。

④狎昵（xiá nì）：过分亲近。

⑤谮（zèn）诉：诬蔑人的坏话。

【原文】

施惠勿念，受恩莫忘。凡事当留余地，得意不宜再往。人有喜庆，不可生妒忌心。人有祸患，不可生喜幸心。善欲人见，不是真善。恶恐人知，便是大恶。见色而起淫心，报在妻女。匿怨[①]而用暗箭，祸延子孙。

【注释】

①匿（nì）怨：暗地里对他人心怀怨念。

【原文】

家门和顺，虽饔[1]飧[2]不继，亦有余欢。国课[3]早完，即囊橐[4]无余，自得至乐。读书志在圣贤，非徒科第。为官心存君国，岂计身家。守分安命，顺时听天。为人若此，庶乎近焉[5]。

【注释】

①饔（yōng）：早饭。

②飧（sūn）：晚饭。

③国课：国家的赋税。

④囊橐（náng tuó）：口袋。

⑤庶乎近焉：就差不多了。